Manfred Hättich · Weltfrieden durch Friedfertigkeit?

Weltfrieden
durch
Friedfertigkeit?

Eine Antwort an Franz Alt

von
Manfred Hättich

GÜNTER OLZOG VERLAG MÜNCHEN

CIP-Kurztitelaufnahme der Deutschen Bibliothek

Hättich, Manfred:
Weltfrieden durch Friedfertigkeit?: Eine Antwort an
Franz Alt / von Manfred Hättich. - 5. Aufl. -
München: Olzog, 1983
ISBN 3-7892-9899-9

1. Auflage Juli 1983
2. Auflage Juli 1983
3. Auflage August 1983
4. Auflage September 1983
5. Auflage September 1983
Gesamtauflage 100 000 Exemplare

ISBN 3-7892-9899-9

Inhalt

Wozu diese Schrift?

Seit das Buch von Franz Alt »Frieden ist möglich – Die Politik der Bergpredigt« (München 1983) erschienen ist, berufen sich viele Teilnehmer an Diskussionen über das Friedensproblem auf sie. Nach meiner Beobachtung bestärkt Alt mit seiner Schrift vor allem die Mitbürger, die einerseits aus einem achtenswerten moralischen Antrieb, aus Angst oder aus Entrüstung über unsere derzeitige Weltlage für den Frieden aktiv sein wollen, – andererseits sich aber dagegen sträuben, in der Anstrengung des Nachdenkens bei der Suche nach realistischen statt utopischen Wegen zur Kriegsverhütung mitzuhelfen.

Ich gebe zu, daß mich die Lektüre des Buches von Franz Alt empört hat. Persönliche negative Vorurteile hatte ich nicht, weil ich den Autor aus seinem publizistischen Wirken und in einigen Begegnungen kennen und schätzen gelernt habe. Um so größer war das Erstaunen über die oberflächliche, unfundierte und widersprüchliche Weise, in der hier ein uns so bedrängendes Thema abgehandelt wird. Das wäre für sich allein noch kein zureichender Grund für eine öffentliche Erwiderung, würde man nicht auf so verhältnismäßig große Wirkung seines Buches stoßen. Meine Antwort kann die Entrüstung nicht verleugnen. Ich hoffe aber, mich bei der Erörterung der realen Probleme einigermaßen diszipliniert zu haben.

Den Vorwurf der Oberflächlichkeit werden mir viele nicht abnehmen, schreibt Franz Alt doch durchweg unter Berufung auf das Christentum. Als Christ überzeugt mich das nicht. Mein Eindruck ist eher der, daß das Christentum schon wieder einmal für eine bestimmte politische Auffassung vereinnahmt werden soll. Zugegeben, die Instrumentalisierung des Christentums für den Frieden ist immer noch besser als jene andere, die sich in der Aufschrift »Gott mit uns« auf den Koppelschlössern unserer früheren Soldaten ausdrückte. Trotzdem komme ich von der Vorstellung einer gewissen Spiegelbildlichkeit nicht los. Und das »Damaskus-Erlebnis«, das Franz Alt für sich in Anspruch nimmt (11)*, erinnert mich eher an pseudoreligiöse Erweckungsbewegungen, von denen die Geschichte des Christentums schon immer begleitet ist.

Natürlich lege ich hier keine wissenschaftliche Abhandlung vor. Und natürlich habe ich so manches irgendwann bei anderen gelesen. Aber ich bin – wie Franz Alt – in militärpolitischen Fragen ein Laie. Die Mitbürger, an die ich mich wende, sind es zum überwiegenden Teil ebenfalls. Deshalb wird auf literarische Belege und Beweise verzichtet.

Ich gehe in dem hier vorgelegten Diskussionsbeitrag über eine direkte Antwort an Franz Alt hinaus. Auch dabei geht es mir nicht um das strategische Fachgespräch, sondern um die Art und Weise, wie wir öffentlich über die Probleme sprechen. Da es üblich geworden ist, seine Angst der Öffentlichkeit mitzuteilen, sei erwähnt, daß für mich zu den Ängsten unserer Zeit inzwischen auch immer mehr eine gewisse Angst vor vielen Parolen von Friedensbewegungen gehört. Meine Sorge ist, daß diese Bewegungen einerseits – entgegen ihrem Wollen – den Frieden gar nicht sicherer machen, aber andererseits unsere freiheitliche Ordnung gefährden.

---

* Die Ziffern in Klammern verweisen auf die entsprechenden Seiten in Franz Alts Buch »Frieden ist möglich«, Verlag R. Piper & Co., München 1983.

1. Unklarheit erschwert den Dialog

Gefühle werden nicht dadurch diskriminiert, daß sie sich unlogisch und in unpräziser Begrifflichkeit artikulieren. Auch mitteilen kann man sich Gefühle gegenseitig ohne die Anstrengung des Denkens. Will man aber anderen die Gründe für seine Gefühle, etwa für Angst, Empörung oder Hoffnung mitteilen, stellt man sich unter das Gebot der Verständlichkeit; jedenfalls dann, wenn man möchte, daß beim anderen nicht nur das Herz, sondern auch der Verstand mitmacht. Letzteres will aber Franz Alt doch bei aller Beschwörung der Bekehrung aus dem Herzen wohl doch. Er »will nicht gegen andere Recht behalten, sondern zusammen mit anderen einen besseren Weg zum Frieden suchen.« (12) Dies verlangt Gespräch, Diskussion, argumentative Auseinandersetzung.

Ich gestehe, daß die Vielzahl der Ungereimtheiten und der ohne jede Begründung hingeworfenen Behauptungen für mich das eigentlich Ärgerliche an diesem Buch ist. Darauf eigens und anhand ausgewählter Beispiele einzugehen, mag wie Beckmesserei wirken. Ich tue es dennoch, weil mir diese unzusammenhängende, gelegentlich an »Sprechblasenkultur« erinnernde Argumentation symptomatisch zu sein scheint für unsere öffentliche Friedensdiskussion. So kommen wir in der gemeinsamen Suche nach Friedensmöglichkeiten nicht weiter. Alts Buch bringt keinen Zuwachs an Rationalität in die Diskussion ein.

Es gibt Ziele, die kaum begründungsbedürftig sind; dazu gehört wohl der Frieden. Die Wege hingegen muß man begründen, wenn man von ihrer Richtigkeit überzeugen will. Alt sagt, »der Zweck heiligt nicht die Mittel, allenfalls haben schlechte Mittel noch immer die besten Zwecke entheiligt«. (81) Aber das andere gilt auch, daß nämlich gute oder gutgemeinte Mittel noch keineswegs den guten Zweck oder gar seine Erreichung garantieren.

Unbegründete Behauptungen

In der Tat ist die Bergpredigt »kein Heimatroman«, wie Alt in seiner ersten Kapitelüberschrift feststellt. Hat das jemals jemand behauptet? Gegen wen polemisiert er denn da? Sie ist aber auch insofern kein Heimatroman, als sie gerade nicht das in unserer Welt rundum Mögliche beschreibt. Der Autor unterstellt einfach, die Bergpredigt gebe eine Antwort auf die Frage »Ist Frieden möglich?«. (9) Eine Begründung für die Behauptung, Jesus habe den Frieden in dieser unserer Erfahrungswelt als nicht mehr aufhebbaren Zustand für möglich gehalten, finde ich in dem ganzen Buch nicht. Wenn Jesus uns sagt, wonach wir streben sollen, dann behauptet er damit nicht die Aufhebung des Bösen in der Welt. »Es ist tröstlich zu wissen, daß die Bergpredigt denen gilt, die ›böse‹ sind.«, heißt es dann plötzlich an anderer Stelle. (27) Es gibt eine Aussage der Bergpredigt, die deutlich macht, daß Jesus mit den Anstrengungen, die er in uns auslösen will, keineswegs zugleich das Gelingen meint. Ich meine den auch von Alt gesondert zitierten Satz: »Ihr sollt also vollkommen sein, wie es auch euer himmlischer Vater ist.« (88) Was für eine Gottesvorstellung würde Jesus verkünden, wenn er damit wirklich für uns Menschen eine gottgleiche Vollkommenheit als Möglichkeit unterstellen wollte? Man sieht auch an diesem Beispiel, in welche Schwierigkeiten man geraten kann, wenn man der Aufforderung des Autors folgt und den Text so nimmt, »wie er dasteht: wörtlich!«. Vielleicht ist es doch ein wenig zu hochmütig, wenn man meint, »wer nur intensiv genug darüber meditiert«, brauche keinen Exegeten mehr. (11) Außerdem: Wer von uns will irgendeinmal behaupten, er habe »intensiv genug darüber meditiert«?

Die zweite Behauptung, mit der Franz Alt uns gewissermaßen ins Haus fällt, ist die, es gäbe »keine größere Macht als die einer zeitgemäßen Idee«. (9) Was ist hier mit Macht gemeint? War die Bergpredigt deshalb noch nie die gewünschte Macht, weil sie erst heute zeitgemäß ist? Wenn unter mächtiger Idee eine solche gemeint ist, die die Welt wirklich wesentlich verändert hat, dann wird man leider konstatieren müssen, daß es keine solche Idee gab, die sich nicht auch durch Gewalt verbreitet oder zumindest auch Gewalt im Gefolge hatte. Und leider gilt dies auch für das Christentum. Darf man aber solche nervenden Fragen nicht stellen, dann bleibt eine derartige Feststellung gedankenloses Gerede.

Was soll ein Satz wie dieser: »Radikale Freiheit und radikale Verantwortung sind kein Gegensatz. Radikale Freiheit ist radikale Verantwortung.«? (28) Ich weiß nicht, was »radikal« in diesem Zusammenhang bedeuten soll. Ist radikale Freiheit als absolute Freiheit zu verstehen, von der wohl doch auch Alt weiß, daß es sie nicht gibt? Das sind sich bedeutungsvoll gebende Sätze, deren Inhalt dunkel bleibt. Es folgt sogleich ein ähnlicher: »Die Bergpredigt kann man nicht wollen, die Bergpredigt kann man nur tun.« (28) Natürlich »kann man«. Und man soll sie wohl auch erst wollen, bevor man sie tut; hier handelt es sich wirklich um Aufforderungen, die man nicht gewissermaßen aus Versehen tut. Gemeint ist wahrscheinlich, man solle die Bergpredigt nicht nur wollen, sondern auch tun. Aber richtig formuliert, klingt es vielleicht zu banal! So banal ist es allerdings in diesem Falle wiederum nicht, das Tun wird gerade gegenüber den Forderungen der Bergpredigt stets hinter dem Wollen zurückbleiben.

Es stören immer wieder flüchtig hingeworfene Gedankenlosigkeiten. Was soll etwa der Satz »Wer moralisiert, kann nicht moralisch handeln«? (73). Wieso kann er nicht? Alt moralisiert doch selbst in diesem Buch unentwegt. Aber vielleicht meint er mit dem Begriff etwas Spezifisches, das er nicht beschreibt oder erklärt. Der Zusammenhang dieser Stelle bleibt wiederum unklar. Es ist vom Gebet die Rede, mit dem man die Gefahr des Atomkriegs wegzaubern will. Unmittelbar danach wird gesagt, wenn man Anbetung mit Nachfolge verwechsle, werde die Religion zum Schutzschild, hinter dem man alles treiben könne. Mit Begriffen wird beliebig jongliert, ihre Zusammenhänge höchst subjektivistisch verknüpft. Ist der Autor wirklich auf Kommunikation aus oder führt er Selbstgespräche? Es wird behauptet, wir stünden vor der Entscheidung »Glaube an Gott oder Glaube an die Bombe«. (66) Der Autor weiß doch, daß er hier zwei völlig unterschiedliche Bedeutungen des Begriffs »glauben« miteinander verbindet. Als ob jemand an die Bombe glauben würde, wie man an Gott glauben kann. Man würde wohl kaum Alltagssätze wie »ich glaube, es ist besser wir schließen nachts das Haus« oder »ich glaube, das Wetter wird sich bessern« in Analogie zum Gottesglauben setzen. Schlimm wird es, wenn Erscheinungen der unterschiedlichsten Art ohne jeglichen Plausibilitätshinweis in ursächliche Verbindung miteinander gebracht werden. Seelische Krankheiten, »so viele Neurosen, so viele Drogenabhängige, so viele Selbstmordkandidaten, so viele Partnerschaftsunfähige, so viel sozial motivierte Abtreibungen, so viel innere Leere, so wenig Urvertrauen wie zu unserer Zeit« werden als »logische Folge« der Tatsache hingestellt, daß »alles Seelische in den Hintergrund gedrängt« wird, »je mehr die Atombomben in den Vordergrund rücken«. (80) Solches kann man uns doch nicht als Ergebnisse gründlichen Nachdenkens anbieten.

Franz Alt fordert unter anderem einen radikalen Wandel »unserer politischen Institutionen« (107), ohne auch nur irgendwo in seinem Buch anzudeuten, worin der radikale Wandel der politischen Institutionen zu bestehen habe. An dieser Stelle möchte ich mir nun doch einmal erlauben, an den Autor zu appellieren, der unter anderem Geschichte und Politikwissenschaft studiert hat. Ich kann mir schon vorstellen, daß er in seiner derzeitigen existenziellen Betroffenheit mit vielem, das er da zu lernen hatte, nicht viel anfangen kann. Aber daß solches gedankenloses Daherreden auch verantwortungslos sein kann, sollte er wissen. Das ist doch nur Wasser auf die Mühle der Leute, die von dem Gefühl leben, es müsse alles radikal anders werden, bevor es besser wird. Dieser »Glaube« hat nun wahrlich schon oft genug Gefolgschaften erzeugt, die in Katastrophen führten.

Verzerrungen des Gegners

Unter Gegnern verstehe ich jetzt die Leute und Positionen, die Franz Alt angreift. Es ist bei diesem Thema verständlich und wohl auch nötig, daß er immer wieder gegen jemanden oder gegen Auffassungen anschreibt. Aber das gerät ihm allzu häufig in schlechte und unernste Polemik, weil er sich dafür »Pappkameraden« aufbaut. So spielt er seine Auslegung der Bergpredigt gerne gegen die Theologen aus. Natürlich kommt es nicht auf »theologische Spitzfindigkeiten« an. Und natürlich war es Jesus gleichgültig, »wieviel Engel auf einer Nadelspitze Platz haben«. (11) Aber das ist doch nicht die Theologie, der wir uns heute gegenübersehen. Hätte Alt nicht auch Theologie studiert (ich erlaube mir noch einmal eine ins Persönliche gehende Polemik), könnte man denken, hier habe einer zufällig einmal etwas Abseitiges aus der Geschichte der Theologie gehört. Die großen Themen der Theologie waren immer andere und sind es heute erst recht. Man sollte sich am Großen reiben und nicht an dem, das man erst klein gemacht hat!

Für geradezu unredlich halte ich es, wenn gegen »die bisherige westliche Weisheit ›lieber tot als rot‹« polemisiert wird. (12) Hier wird eine von anderen erfundene Parole einfach umgedreht und als Maxime des Westens, gemeint ist doch wohl die westliche Verteidigungspolitik, ausgegeben. Die Parole der Rüstungsgegner lautet »lieber rot als tot«. Niemand hat die Parole »lieber tot als rot« ausgegeben.

Ärgerlich finde ich, daß Franz Alt dies genau weiß. Wer das westliche Verteidigungskonzept akzeptiert, der will weder tot noch rot sein. Ein anderes und an anderer Stelle zu besprechendes Problem ist es, daß Alt mit vielen anderen meint, diese Verteidigungspolitik müsse letzten Endes in den Tod führen. Hier geht es lediglich darum, daß er anderen falsche Intentionen unterstellt. Auch er hat doch wohl vor zwei Jahren, als er noch den Nachrüstungsbeschluß befürwortete, nicht dieser Maxime gehuldigt. Ich halte es übrigens für genauso falsch, die Formel »lieber tot als kapitalistisch« als östliche Maxime auszugeben. Wenn Alt also beides für inhuman hält (12), dann geht er gegen etwas an, das es auf der intentionalen Ebene so nicht gibt. Die intentionale Ebene kann aber nur gemeint sein, wenn von »westlicher Weisheit« und »östlicher Maxime« gesprochen wird.

Als eine unfaire Verzerrung empfinde ich es auch, daß Alt Leuten, die nicht oder noch nicht seiner Meinung sind, »Angst vor dem Frieden« unterstellt. Er meint damit zwar in erster Linie, aber nicht nur, Politiker. So »spürt« er »Angst vor dem Frieden« bei Diskussionen nach Vorträgen. Bereits die zaghafte Annäherung zwischen Moskau und Peking führe nicht zu etwas mehr Hoffnung auf Entspannung, sondern zur besorgten Frage nach dem Erstarken des Weltkommunismus. (35) Weiß er den Leuten, die solche Sorge äußern, wirklich nichts anderes zu sagen, als daß sie Angst vor dem Frieden hätten? Hat der Mensch nicht das Recht, mehrere, unterschiedliche und vielleicht sogar miteinander in Spannung stehende Ängste zu haben? Ist es mir nicht erlaubt, Angst vor dem Krieg und zugleich Angst vor dem Erstarken des Weltkommunismus zu haben? Alt selbst führt an anderer Stelle, vielleicht etwas zu beiläufig, mit Hinweis auf die Ereignisse in Polen, den Begriff »Kirchhofsfrieden« ein. (102) Davor, also vor »Frieden« durch Unterdrückung, darf man wohl auch etwas Angst haben. »Angst vor dem Frieden« ist bei Alt eine eigene Kapitel-

14

überschrift. (65 ff.) Es gelingt ihm aber nicht nachzuweisen, daß jemand Angst vor dem Frieden hat. Er unterstellt dies vielmehr jedem, der auch noch andere Sorgen zum Ausdruck bringt. Noch einmal: Es geht an dieser Stelle nicht um die These, die offiziellen westlichen Verteidigungsanstrengungen müßten in den Krieg führen. Das betrifft die Frage nach den richtigen oder falschen Wegen zum gemeinsamen Ziel. Wenn aber von Angst die Rede ist, geht es um Motive und Einstellungen. Es wird gesagt: »Wir planen den Selbstmord aus Angst vor dem Frieden«. (65) Nehmen wir einmal an, Alt habe insofern recht, daß unsere Verteidigungsstrategien der Wirkung nach letzten Endes tatsächlich in den Selbstmord führen. Darüber kann man und muß man ernsthaft diskutieren. Eine dilettantisch-psychologisierende Interpretation ist es aber, wenn einfach behauptet wird, wir würden dies aus »Angst vor dem Frieden« tun. Natürlich wehrt sich jeder gegen Deutungen seines Verhaltens, die er nicht wahrhaben möchte. Insofern könnte man sich selbstkritisch offenhalten für Enthüllungen der eigenen Motive, die man selbst vielleicht nicht oder nicht zureichend erkennt. Aber auch und gerade dann hat man wohl das Recht, Argumente gegen sich zu erwarten. Die bleibt Alt generös schuldig. Er gibt einfach vor zu wissen, daß wir Angst vor dem Frieden haben. Das nenne ich Dialog-Verweigerung.

Von welchem Frieden ist die Rede?

Franz Alt verfällt der Untugend vieler Zeitgenossen, in die Erörterung eines Problems gleich alle anderen mit hineinzupacken. Er schreibt ein Buch gegen den Krieg, vor allem gegen den Atomkrieg. Alle Kritik an der Art und Weise, wie er es tut, muß dieses Engagement respektieren. Aber dann wird plötzlich wieder so vieles mit dem Frieden gleichgesetzt: Die Ausbeutung der Natur, unsere Art zu leben überhaupt, die Arbeitslosigkeit, das Heranwachsen vieler Kinder als vaterlose Halbwaisen, die Schwangerschaftsunterbrechung aus sozialen Gründen, die Verkehrstoten, Tierquälerei und die Ausrottung von Tierarten. »Frieden ist nicht, solange für uns Männer – und zunehmend auch für Frauen – der Beruf wichtiger ist als Privatleben, Familie, Partner und Kinder.« – »Frieden ist nicht, solange die Wirtschaft zur Welt des Mannes und die Liebe zur Welt der Frau gemacht werden sollen.« (101 ff.)

Ist mit Frieden nun eigentlich das Paradies gemeint? Aber konsequent durchgehalten wird nichts. Unversehens heißt es dann wieder: »Frieden ist zwar nicht alles, aber im Atomzeitalter ist ohne Frieden alles nichts.« (103) Wird das eigentliche und ernste Thema nicht relativiert und bis zur Unkenntlichkeit gedehnt, wenn man jeden, der »mithilft, daß ein Kind weniger in der Dritten Welt verhungert« einen Pazifisten nennt? (103) Man kann nicht miteinander diskutieren ohne eine gewisse Denkdisziplin. Dazu gehört auch, daß man die Unschärfe in der Begrifflichkeit und den ständigen Wechsel der Begriffsbedeutungen nicht geradezu kultiviert. Am Ende hat man nichts gesagt, wenn man immer gleichzeitig alles sagen will. Das sprunghafte und rein assoziative Denken und Schreiben dient zumindest seiner Wirkung nach der Immunisierung gegen Argumente. Man kann bei Einwänden immer auf andere Stellen verweisen, um zu belegen, daß sie unberechtigt sind. So kann Alt zum Beispiel meine Vermutung, sein Friedensbegriff könnte mit dem Paradies auf Erden identisch sein, sofort zurückweisen; denn er schreibt ja an fast derselben Stelle: »Befreit werden müssen wir allerdings nicht von Leid, sondern eher von unserer Unfähigkeit zum Leiden; nicht von Trauer, sondern eher von unserer Unfähigkeit zur Trauer;« (101); aber was nun eigentlich? Es ist doch legitim, wissen zu wollen, worin man mit dem Autor übereinstimmt und worin nicht. – Dies alles muß kritisiert werden, weil es so typisch ist für die Art und Weise, in der die Probleme bei uns gegenwärtig diskutiert, besser gesagt artikuliert werden.

2. Reduziertes Christentum

Da Franz Alt seine ganze Argumentation auf seinem Verständnis der Bergpredigt aufbaut, ist eine Auseinandersetzung mit diesen seinen Voraussetzungen unerläßlich. Sie ist es auch deshalb, weil Alt gerade hierin für viele spricht und vermutlich viele anspricht, die ihr Christsein ernstnehmen wollen. Da auch diese Auseinandersetzung recht kritisch sein wird, muß vorab gegenüber diesem unbedingten Wollen christlicher Existenz Hochachtung bekundet werden. Dies auch auf die Gefahr hin, damit sofort wieder jenem erbaulichen Sonntagschristentum zugeordnet zu werden, das solche Unabdingbarkeit zwar bei anderen bewundert, sich selbst aber von ihr dispensiert. Dem kann ich nur die bescheidene Mahnung entgegenhalten, daß die Versuchung zum Hochmut immer schon eine spezifische Anfälligkeit des Heiligen ist, – auch und gerade dann, wenn er von den Kindern dieser Welt kritisiert oder gar beschimpft wird. Der Hochmut der Letzteren kommt wahrscheinlich am häufigsten dadurch zum Ausdruck, daß sie die nach Heiligkeit Strebenden lediglich großmütig belächeln. Das möchte ich gerade nicht. Sollte ich dennoch da oder dort in einen ironisierend klingenden Tonfall geraten, bitte ich um Entschuldigung. Es kann einem leicht passieren, wenn man kurz und pointiert formulieren will.

Jesus nur Lehrer?

Mein zentraler Einwand gegen die hier von Franz Alt angebotene Deutung des Christentums ist der, daß er diese Religion ihrer transzendenten, übernatürlichen Dimension beraubt. Die Bergpredigt ist für ihn vor allem ein menschli-

Dokument (11). Jesus war für ihn ein Lehrer mit
ßer Autorität, der viel, mehr als alle anderen Menschen,
von Gott wußte. (29) Hier dürfte der Schlüssel auch für
unser unterschiedliches Verständnis der Bergpredigt liegen.
Es ist immer von Jesus, nie von Christus, – vom hervorra-
genden Menschen, nie vom menschgewordenen Gott und
dem Erlöser die Rede. Folgerichtig wird auch nur von dem
gesprochen, was wir in der Nachfolge Jesu tun sollen, nicht
aber von Gnade.
Das hat Konsequenzen in der Auslegung der Bergpredigt.
Im Grunde sind wir es dann selbst, die sich erlösen, indem
wir dem Meister nacheifern und seine Forderungen erfül-
len. Ich glaube aber nicht, daß Jesus uns mit seinen Forderungen von der Überflüssigkeit der Gnade überzeugen
wollte.
Ich habe Alts Buch in der Karwoche gelesen. Da war die
Frage besonders aufdringlich, welchen Glaubenssinn der
Kreuzestod behält, wenn er im Grunde zum Scheitern eines
großen Lehrers der Menschen an der weltlichen Macht
schrumpft. Jesus bleibt für uns dann der Märtyrer einer
großen Idee, die – folgt man Franz Alt – 2000 Jahre lang
weitgehend unwirksam war, bis wir uns heute in der Angst
vor der Atombombe auf ihren Kern besinnen. Die Bibel
hört dann auf, in erster Linie von den Erlösungstaten Gottes
zu erzählen. Es ist eine Tendenz unserer Zeit, die Bibel
mehr innerweltlich, sozialkritisch oder gar politisch zu
begreifen. Man kann in dieser inneren Säkularisierung auch
eine bis zum gewissen Grad verständliche Reaktion sehen.
Eine Zeitlang wurde die Offenbarung von der Menschwer-
dung insofern nicht zureichend ernstgenommen, als das
Menschsein Jesu nicht konkret genug bedacht wurde. Jetzt
stehen wir in der anderen Gefahr, von der ich sicher bin,
daß sie nur weitere Enttäuschungen über das Christentum
vorzubereiten vermag. Denn jene Veränderung unserer
Welt über die Herzen der Menschen, von der Franz Alt
schwärmt, wird nicht eintreten. Ich behaupte das deshalb,

weil ich in der bisherigen Menschheitsgeschichte keinen realen Grund finde, der eine solche Hoffnung rechtfertigen würde. Und ich meine damit nicht gegen die Bibel zu sprechen, weil ich in ihr kein Versprechen für die totale Veränderung unserer Erfahrungswelt finde. Die Gnadenverheißungen auch der Bergpredigt beziehen sich eben gerade nicht auf diese unsere Welt, die vor allem dadurch gekennzeichnet ist, daß sie von den Menschen selbst gestaltet und verantwortet werden muß. Wenn die Gottesfrage als Zentrum des Christentums aus diesem ausgeklammert wird, verfälscht man es in eine Selbsterlösungsideologie. Dann wird es in der Tat zu einem Weltveränderungsversuch unter anderen und sein Stifter zu einem großen Lehrer der Menschheit neben anderen.

»Politik« der Bergpredigt?

Da Alt zwar ständig den politischen Charakter der Bergpredigt betont, aber nie erklärt, was er unter Politik versteht, kann man mit ihm darüber schwer streiten. »Privat und politisch – das darf man bei Jesus nicht trennen.« (11) Es wird an derselben Stelle dann gesagt, Jesus habe nicht nur zu Theologen, sondern zum Volk gesprochen. Alle seien in allen Lebensbereichen gemeint. (11) Ist das die Begründung? Dann wäre das Politische also einfach das Allgemeine, das Soziale schlechthin. An anderer Stelle wird aber dann gesagt, die persönlichen, gesellschaftlichen und politischen Konsequenzen der jesuanischen Radikalität würden nirgendwo so deutlich wie in der Bergpredigt. (22) Und die Bergpredigt enthalte private und politische Vorschläge für ein Leben aus dem Geist der Liebe. (27) Indem die Bereiche aufgezählt werden, erscheinen sie doch also auch wieder als unterschieden. Aber welches sind die politischen Vorschläge der Bergpredigt?

Natürlich legt Alt kein wissenschaftliches Werk vor. Es wäre aber doch hilfreich, er würde seine Vorstellung von Politik ein wenig erklären. Ich kann mir nicht recht vorstellen, daß er alle Verbindungen, die das Christentum im Laufe seiner Geschichte mit der Politik eingegangen ist, für besonders glücklich hält. Er sagt aber: »Das folgenschwerste Schisma des Christentums ist nicht Luthers Kirchenspaltung, sondern die Trennung von Religion und Politik.« (9) Und er nennt »die Trennung des Privaten vom Politischen« das »entscheidende Verhängnis des bisherigen Christentums«. (11) Gibt es da nicht auch verhängnisvolle Verstrickungen?

Es gibt Unterscheidungen und Trennungen, die in der Natur der Sache liegen. Alt wendet sich immer wieder gegen die Auffassung, man könne mit der Bergpredigt nicht regieren. Hierin kann man eine Konkretisierung des Politikbegriffes sehen. Vorschläge oder Handlungsanweisungen für das Regieren kann ich aber nun in der Bergpredigt gerade nicht finden. Man muß wohl noch weitergehen: Jesus stellt hier überhaupt keine Maximen für die strukturelle und institutionelle Gestaltung des Gesellschaftslebens auf.

Es werden nicht nur Verhaltensforderungen formuliert, sondern Verheißungen gegeben. »Selig, die arm sind vor Gott; denn ihnen gehört das Himmelreich. Selig die Trauernden; denn sie werden getröstet werden.« (Ich halte mich an den bei Franz Alt abgedruckten Text. 13 ff.) Das sind keine Aufforderungen zum Arm- oder Traurigsein. Schon gar nicht sind es Aufforderungen, dem Mitmenschen zur Armut oder zur Traurigkeit zu verhelfen. »Selig, die um der Gerechtigkeit willen verfolgt werden; denn ihnen gehört das Himmelreich. – Selig seid ihr, wenn ihr um meinetwillen beschimpft und verfolgt und auf alle mögliche Weise verleumdet werdet. Freut euch und jubelt: Euer Lohn im Himmel wird groß sein.« Das legitimiert keine Verfolger, Beschimpfer oder Verleumder. Die Banalität ist bedeutsam. Es stellt sich nämlich bei den positiven Verhaltensforderungen der Bergpredigt die Frage, ob sie uns das Recht geben, diese Verhaltensforderungen auch an die Mitmenschen zu stellen. Ich meine, dies muß verneint werden.

Jesus bietet kein Programm für soziale Ordnungen an. Soziale Ordnungen leben vom korrespondierenden Sozialverhalten. Sie werden bewirkt durch Regeln und Verläßlichkeiten. Bei den Forderungen der Bergpredigt handelt es sich gerade nicht um verläßlich zu machende Regeln. Sie sprengen stets menschliches Regelwerk. Insofern handelt es sich bei ihnen tatsächlich um eine Art spezifische Moral. Ich meine nicht eine Spezialmoral für besondere christliche Stände, sondern eine spezifische Möglichkeit des Christseins, welches unsere menschlichen Rechte hinter sich läßt, ohne sie aufzuheben.

Es läßt sich auf der Basis der Bergpredigt eben gerade keine korrespondierende Sozialmoral aufbauen. Wenn ich mich vor der Opfergabe versöhnen soll, dann konstituiert dies keinen Rechtsanspruch für mich auf Versöhnung seitens des anderen. Ich kann also nicht zu ihm sagen: Jesus hat gesagt, du sollst dich mit mir versöhnen, nun tue es auch. Das Richteramt wird nicht abgeschafft, sondern vorausgesetzt, wenn gesagt wird, man solle mit dem Gegner Frieden schließen, solange man noch mit ihm auf dem Weg zum Gericht ist. Ich bin durch die Bergpredigt nicht in das Recht versetzt, der andere möge mir auch die linke Wange hinhalten, wenn ich ihn auf die rechte geschlagen habe. Schon gar nicht kann gemeint sein, daß Regierung oder weltliches Gericht solche Gegenseitigkeiten zum Prinzip sozialer und politischer Ordnung macht. Allgemein gesagt: Die Zumutungen der Bergpredigt an jeden einzelnen von uns können nicht in Zumutungen, die wir an andere richten, umgemünzt werden.

In der Politik geht es immer auch um Rechte. Ich denke, es entspricht dem Geist der Bergpredigt, nicht immer kleinkrämerisch auf seinen Rechten zu beharren. Es gibt Leute, die geradezu hypochondrisch ständig danach fragen, ob sie in irgendeinem Recht verletzt sind. Ich kann für mich auf

Rechte verzichten. Ich bin aber nicht, auch nicht im Sinne der Bergpredigt, befugt, stellvertretend für andere auf deren Rechte zu »verzichten«.

Die Bergpredigt transzendiert oder durchbricht die Politik, ohne uns von der politischen Verantwortung zu entbinden. »Sorgt euch nicht um euer Leben und darum, daß ihr etwas zu essen habt, noch um euren Leib und darum, daß ihr etwas anzuziehen habt ... Seht euch die Vögel des Himmels an: ... Sorgt euch also nicht um morgen ...« (19) Das relativiert unsere Anstrengungen, aber es dispensiert wohl nicht von ihnen. »Macht euch also keine Sorgen und fragt nicht: Was sollen wir essen? Was sollen wir trinken? Was sollen wir anziehen? Denn um all das geht es den Heiden.« (19) Das sind sicher keine politischen Ratschläge. Der Politik, auch und gerade einer von Christen gemachten Politik darf es nicht gleichgültig sein, ob die Leute zu essen haben. Schon gar nicht können sie sich von der Verantwortung für die irdische Gerechtigkeit mit dem Hinweis auf die Gerechtigkeit Gottes dispensieren.

Politik kann nicht von der Fiktion ausgehen, die Menschen würden sich im Schnitt aus dem Geist der Bergpredigt heraus verhalten. Ich meine, Franz Alt befindet sich in einem Irrtum über die unterschiedlichen Bezugsfelder menschlichen Verhaltens, wenn er die Spannung zwischen privatem und politischem Handeln nur darin sieht, daß lediglich aus Bequemlichkeit oder aus Machtinteresse oder aus der Konstruktion einer doppelten Moral Menschen privat anders denken und handeln als politisch. Natürlich gibt es das. Aber es ist eben nicht wahr, daß es sich ausschließlich um ein moralisches Problem handelt. Die unterschiedlichen Bezugsfelder verändern aus sich heraus die Qualitäten und damit die Anforderungen an das Handeln. Es gibt individuelles Verhalten, welches auch darin individuell bleibt, daß es sich weitgehend »rücksichtslos« auf die soziale Umwelt vollziehen kann, ohne damit zugleich gegenüber dieser auch verantwortungslos zu werden. Bei ganz scharfer Beleuchtung gibt es solches Verhalten wahrscheinlich seltener als wir anzunehmen pflegen. Immerhin: Ich habe es nur vor mir zu verantworten, ob ich jetzt ein nachdenklich machendes Buch lese oder von einer Lektüre nur unterhalten sein will. Im stillen Kämmerlein habe ich es nur vor Gott und mir zu verantworten, ob ich meinen Tag mit einem Gebet beginne oder beende. Es gibt auch auf den Mitmenschen bezogenes, also soziales Verhalten, das ich weitgehend unabhängig halten kann von den Reaktionen des anderen. Ich kann einem Menschen, der mir mit Haß begegnet, immer wieder verzeihen, seinem Haß meine Liebe und Nachsicht entgegensetzen, obwohl der andere sein Verhalten mir gegenüber nicht ändert. Wenn ich mit dem anderen aber auf aktives Zusammenleben und auf Kooperation angewiesen bin, muß sich die Asymmetrie ändern, wenn Kooperation möglich werden oder bleiben soll. Zusammenwirken ist auf korrespondierendes Verhalten angewiesen.

Jetzt wird ein Drittes wichtig, nämlich das gemeinsame Werk. Wenn der andere in seinem Dauerhaß dem Partner ständig nur Schwierigkeiten in den Weg legt, muß dieser gegebenenfalls um der Notwendigkeit oder des Nutzens des Werkes willen die Kooperation abbrechen. Bekanntlich kann die Symmetrie auch durch außermoralische Faktoren gestört sein. Es hat eben auf Dauer keinen Sinn, gemeinsame Kooperation aufrecht zu erhalten, wenn der andere sich, aus welchen Gründen auch immer, als dazu unfähig erweist. Derartige »Versachlichungen« der sozialen Beziehung nehmen erst recht zu, wenn Leute damit beauftragt sind, die Beziehungen vieler untereinander zu regeln, Kooperationen in großen Kollektiven zu sichern, im Namen und Auftrag von Großgruppen zu handeln und zu entscheiden. Dies aber ist ein wesentliches Stück von Politik. Man braucht kein übertrieben pessimistisches Menschenbild zu haben, um zu erwarten, daß Politik mit den unterschiedlichen Motiven und Strebungen der Menschen zu rechnen hat, – daß sie bei ihren Entscheidungen nicht nur von der Vorstellung des an ethischen Normen oder gar am Geist der Bergpredigt orientierten Menschen, sondern eben auch von unser aller Fehlbarkeit ausgeht. Für solches politisches Entscheidungshandeln gibt die Bergpredigt keine Weisung. Schon deshalb, und nicht erst, wenn man einer doppelten Moral huldigt, läßt sich mit der Bergpredigt nicht regieren. Zumindest in diesem Zusammenhang greift Alt Martin Luthers Zwei-Reiche-Lehre zu Unrecht an, wenn er auch ihm ein Konzept der doppelten Moral vorwirft. (27 f.)

Gespaltene Existenz?

Was ich bisher gegen die Meinungen von Franz Alt gesagt habe, ist nicht als Entschuldigung für die tatsächlich vorkommende doppelte Moral oder für die Vernachlässigung christlicher Ethik in einer von Christen zu verantwortenden Politik zu verstehen. Ich bin durchaus mit Alt der Meinung, daß ein Christ beim politischen Handeln nicht vergessen darf oder gar soll, daß er Christ ist. Das heißt aber auch wieder nicht, daß jede Art von Handeln eines Christen sich vom Handeln eines Nichtchristen unterscheiden kann oder muß. Es kann jemand eine Ware produzieren und diese, statt sie zu verkaufen, an Arme verschenken. Er kann dies aus seiner christlichen Grundhaltung heraus tun. (Was bekanntlich auch wieder nicht bedeutet, daß nur ein Christ so handeln kann.) Ob er es tatsächlich »kann«, hängt auch davon ab, ob sein und seiner Familie Leben anderweitig gesichert ist. Wenn er die produzierte Ware verkauft, wird dieses Verhalten dadurch nicht unchristlich, es ist aber auch nicht mehr spezifisch christlich. Er begibt sich damit in ein Netz korrespondierenden Verhaltens, das seine eigene Sachgesetzlichkeit aufweist. Eine große Wirtschaftsgesellschaft mit Millionen von Wirtschaftssubjekten läßt sich nicht auf dem Prinzip des Schenkens aufbauen. Für die Teilnahme an diesem sozialen Wirtschaftsprozeß gibt ihm sein Christsein keine unmittelbaren Orientierungen. Es setzt seinem Verhalten aber Grenzen. Wenn er eine Art Monopol hat und dieses mit Wucherpreisen ausnützt, handelt er unchristlich. Er handelt bereits unchristlich, wenn er seinen Kunden gegenüber eine nicht vorhandene Qualität seiner Ware bewußt vortäuscht.

In unserem Beispiel sind ökonomisches und moralisches Verhalten nicht völlig getrennt, durchaus aufeinander bezogen, aber eben auch keineswegs identisch. Beim politischen Verhalten ist es nicht anders. Sobald ich nicht nur individuell, sondern in Kooperation mit anderen und für andere handle, gibt es die heute so viel bescholtenen Sachzwänge. Natürlich spielt der Begriff eine unheilvolle Rolle. Die einen verschanzen sich voreilig hinter diesen Sachzwängen, um ihr problematisches Verhalten zu exkulpieren oder um eine Diskussion über die Probleme zu verweigern. Die anderen tun ständig so, als wäre der Hinweis auf solche Zwänge immer und ausschließlich so motiviert, oder sie wollen die Sachzwänge gar abschaffen.

Franz Alt ist aus seiner journalistischen Arbeit als Kritiker amoralischen Verhaltens in der Politik bekannt. Man kann nur hoffen, daß diese Stimme nicht verstummt oder stumm gemacht wird. Und man muß wünschen, daß er sich nicht selbst durch unsolide Beiträge aus der ernsthaften Diskussion ausschließt. Dem vorliegenden Buch mangelt es meiner Meinung nach an Solidität.

Jeder aufmerksame Beobachter erfährt ständig das Ärgernis, wie lässig Politiker, die sich zum Christentum bekennen, mit eben diesem Bekenntnis in der praktischen Politik umgehen, – ob es den Umgang mit der Macht betrifft, das Verhältnis zur Wahrhaftigkeit, die Praxis der Intrige, die Verbreitung von Haß oder den lieblosen Umgang untereinander. Und es ist klar, daß diese Probleme sich kumulieren, wenn man Parteien hat, die das Bekenntnis zum Christentum sogar in ihrem Namen führen. Mir scheint dies übrigens auf der mittleren und unteren Funktionärsebene in diesen Parteien noch viel schlimmer zu sein als bei den Politikern, die im Rampenlicht der Nation stehen. Die Unionsparteien tun viel zu wenig, um ihren Anhängern bewußt zu machen, was es bedeutet, wenn man mit seinem Namen und mit seinem Programm nicht nur für irgendeine Partei, sondern zugleich noch für das Christentum wirbt. In diesen Dingen gebe ich Franz Alt durchaus Recht. Man darf als Christ nicht so tun, als hätten der Ehrenplatz in der ersten Bankreihe der Kirche, die ostentative Teilnahme an der Fronleichnamsprozession und die Präsenz kirchlicher Würdenträger bei politischen Festakten mit dem politischen Alltag nichts zu tun. Nun soll man natürlich auch »die Kirche im Dorf« lassen; das Bild paßt hier recht gut. Scheinheiligkeit und Pharisäertum werden nie ganz verschwinden, weder in der Politik noch in der Kirche, – noch bei jedem von uns selbst. Und wer Unkraut ausreißen will, läuft Gefahr Weizen mit auszureißen – um wenigstens einmal noch eine andere Bibelstelle heranzuziehen. Wir können uns noch so anstrengen, zu »Vollchristen« werden wir in diesem Leben nie. Unsere Existenz ist von der Wurzel her eine gebrochene.

Genau dies scheint mir Alt bei seinen Aussagen über den Menschen zu vernachlässigen. Er postuliert eine Integrität der Person, deren Möglichkeit uns in diesem Leben versperrt ist. Unsere Natur wird durch das Christsein nicht aufgehoben. Allerdings sind seine Ausführungen teilweise auch in diesem Punkt wieder so schwammig, daß das Diskutieren nicht leicht ist. Für ihn sind »Humanismus, Religion, Politik und psychische Entwicklung nicht mehr voneinander zu trennen; sie sind nicht dasselbe, aber sie gehören untrennbar zusammen.« (9) Dann heißt es: »Unsere religiöse, private und politische Existenz ist eine Einheit.« (9) Ja und nein, meine ich. Dies alles ist nicht in einem beziehungslosen Nebeneinander zu sehen. Aber es ist eben in der Tat auch »nicht dasselbe«. Die Einheit ist keine spannungslose, sondern eine höchst spannungsgeladene. Sie ist permanent gefährdet. Mehr noch, die Unvollkommenheit dieser Einheit ist für uns sogar eine Notwendigkeit. Der Hinweis, Individuum heiße Unteilbarkeit (9), hilft da nicht viel weiter. Ich kann diesen Begriff zu Hilfe nehmen, um darzutun, daß Personsein Leben aus einer nicht mehr teilbaren Mitte heraus bedeutet. Die Äußerungen und Entfaltungen des Lebens sind aber eben unterschiedlicher Natur. Die Blüten einer Pflanze, von denen keine der anderen gleicht, wachsen aus derselben Wurzel. Ich zerstöre die Fülle des Lebens, wenn ich alle Blüten bis auf eine um der Einheit willen abschneide. Und ich nehme der Mitte ihren Sinn, wenn ich den Menschen um einer Idee der Einheit willen zum bloßen »Wurzeldasein« verurteile. Alt spricht von der Spaltung des Menschen »in religiös oder politisch, in fromm oder gescheit, in christlich fühlen oder materialistisch handeln, in theologisch oder philosophisch, in spirituell oder technisch.« (9) Ich kann aber mit meinen politischen Fähigkeiten nicht meine Religiosität leben; meine Frömmigkeit sagt nichts darüber aus, ob ich ein mathematisches Problem lösen kann; und hoffentlich bleiben Theologie und Philosophie auch weiterhin unterschieden. Wenn Alt sein Auto zur Reparatur bringt und im Gespräch mit dem Mechaniker eine Art von Spiritualität entdeckt, was man bei sogenannten einfachen Leuten ja häufiger kann, als zu meinen wir uns angewöhnt haben, dann wird er sich darüber freuen. Bezahlen wird er ihn allerdings nur für seine technischen Fähigkeiten wollen. Wenn diese Einwürfe der Banalität bezichtigt werden, dann möge man konkreter sagen, was mit der Einheit nun wirklich gemeint ist. Es handelt sich bei unseren unterschiedlichen Lebensdimensionen eben nicht einfach um logische Unterscheidungen, sondern um Unterschiede in der Lebenspraxis. Es gibt Leute, die tragen ihr Bekenntnis zum Christentum in allen Lebensbereichen ständig so aufdringlich vor sich her, daß man nur noch von religiöser Eitelkeit oder Fanatismus sprechen kann. Dies meint Alt sicher nicht.

Er meint wohl eher, daß alle Lebensäußerungen von der christlichen Mitte her durchwirkt sein sollten. So unangreifbar diese Forderung in ihrer Allgemeinheit sein mag, in der Praxis gibt es da Probleme. Es gibt Lebenspraktiken, die der christlichen Ethik widersprechen. Innerhalb dieser Grenzen ist es aber keineswegs so, daß das Christsein bei praktischen Problemlösungen nur eine Lösungsmöglichkeit zuläßt oder gar determiniert. Ich muß also sehr vorsichtig sein mit dem Schluß, der andere würde unchristlich handeln, wenn ich mit ihm über eine Praxis streite. Den anderen aber ständig zum Bekenntnis zu provozieren, ist zumindest rücksichtslos.

Als Konsequenz »dieser Spaltung« werden dann die »liturgische Sonntagskirche« einerseits und »religionsloser Werktag« andererseits, das Verkommen des Christentums »zu einer saft- und kraftlosen Mittelstandsideologie«, das Christentum als »Seelenmassage« genannt. (9) Das ist immer wieder notwendige Kritik. Daß diese Erscheinungen erst auf die »Industriestaaten« bezogen werden, halte ich nun allerdings für eine völlig ahistorische Sichtweise. Auch hier sollte man aber in der Schlußfolgerung aus Erscheinungen auf die existenzielle Wirklichkeit der Menschen etwas zurückhaltender sein. Was wissen wir denn darüber, wie viele Menschen aus ihrem sonntäglichen Kirchgang unter irgendeinem Gesichtspunkt etwas an Kraft für die Bewältigung ihres Werktags mitnehmen? Vielleicht wäre da etwas mehr Barmherzigkeit am Platze. Und woher nehmen wir das Recht, darüber etwas zu erfahren? Auch wenn einem solchen Kirchgänger in der Woche darauf kein Aufschwung gelingt, wäre es nicht schon viel, wenn eine schleichende Verkümmerung gebremst worden wäre?

Bei der obigen Aufzählung der gegensätzlichen Lebensweisen als Folgen der Spaltung habe ich eine ausgelassen: »Christlich fühlen oder materialistisch handeln«. (9) Mit meinen Gegenbeispielen habe ich schon darauf hingewiesen, daß man auch mit umgekehrten Einflüssen rechnen

28

muß, wenn man alles integrieren will. Wenn ich die Einheit von Religion und Politik postuliere, dann kann ich nüchternerweise nicht nur mit dem Einfluß der Religion auf die Politik rechnen, ich muß auch auf die verhängnisvolle Politisierung von Religion gefaßt sein. Wenn zu viel Gescheitheit in meine Frömmigkeit einfließt, kann erstere destruiert werden. Und wenn sich technisches Denken im weitesten Sinne in meine Spiritualität einschleicht, dann führt dies leicht in Magie oder Aberglauben. Wir haben noch manches davon, auch im Christentum. Ich meine das Denken in den Folgen von Ursachen und Wirkungen. »Wenn ich dies tue, dann wird mir Gott jenes geben.« (Der Schüler kompensiert sein Unvermögen oder seine Faulheit noch ganz schnell vor der Schularbeit mit einem Gebet um eine gute Note. – Wenn die Flurprozession auf das reine kausale Denken verengt wird, hat Gott versagt oder er will uns bestrafen, wenn die erbetene Witterung nicht eintrifft. Die wahre Einstellung wäre doch wohl: Wir bitten Dich zwar um Deinen Segen für unser Werk und um Schutz vor den Unbilden der Natur, – aber wir geben uns zugleich in Deine Hand.) Wer die Einheit von »christlich fühlen« und »materialistisch handeln« postuliert, muß auch mit materialistischer Zersetzung der christlichen Existenz rechnen. Ich bin wirklich erschrocken über das, was Alt über den Sinn des Todes angesichts der Atombombe schreibt. »Wer bisher ans Sterben dachte, wußte, daß er weiterlebt in der Erinnerung derer, die ihn kannten. Dieser Trost schwindet heute. Wir wissen nicht mehr, ob und wie lange überhaupt jemand weiterlebt. Wenn die Art zu sterben absurd wird, wird dann nicht auch die Art zu leben absurd?« (60) Bestimmt die Idee des Weiterlebens in der Erinnerung wirklich das Verhältnis des Christen zum Tod? Was bedeutet die in unseren Normalfällen selten zwei Generationen überdauernde Erinnerung angesichts dessen, was uns die christliche Offenbarung über den Tod sagt?

3. Konfliktbewältigung durch Verharmlosung?

Christliche Existenz und politisches System

Denkt man die Möglichkeiten christlicher Existenz konsequent zu Ende, dann wird sie letzten Endes gegenüber politischen und sozialen Ordnungsformen gleichgültig. Der Christ kann Christ bleiben in der größten Not, in der schwersten Verfolgung, in der Unterdrückung, bis hinein in den gewaltsamen Tod. Weltliche Macht kann Schwächen des Menschen ausnützen und ihn dazu bringen, daß er Zeichen eines Glaubens oder einer Abschwörung gibt. Aber keine Macht der Welt kann ihn zu einem wirklichen religiösen Glauben oder zu einer Abschwörung im innersten seines Herzens zwingen. Christliche Existenz kann sich vollenden in der totalen menschlichen Einsamkeit, in der einer nur noch vor Gott mit sich alleine ist, aller Möglichkeiten beraubt, irgendwelche Signale aus seinem Innersten nach außen zu senden. Ähnlich wie einer, der wegen seiner Überzeugung im Gefängnis liegt und auf sein Todesurteil wartet, bar aller Freiheiten die intensivste Freiheitserfahrung seines Lebens machen kann, weil der Sinn eben dieses Lebens jetzt erfüllt ist, und weil er die Unfreiheiten und Verstrickungen seiner äußerlich in Freiheit lebenden Peiniger erkennt.

Kirchen erfahren immer wieder in der Verfolgung die Reinigung und Erneuerung des Glaubens. Dies nicht nur als soziale Gruppe, indem die Laschen weggehen, weil die Opportunität kein Motiv mehr ist; Erneuerung auch im Inhalt des Glaubens, weil die Unterscheidung zwischen dem Wesentlichen und dem Nebensächlichen gelernt wird. Daß all dies niemals zur Rechtfertigung für Verfolger werden kann, ist klar. Klar sollte wohl aber auch sein, daß der Christ sich nicht christlich verhielte, wollte er seinen Mitchristen wegen der vielen Mangelhaftigkeiten unseres Christseins die »Feuerprobe« wünschen. Das tut Franz Alt natürlich nicht. Aber eine in meinen Augen fahrlässige Verharmlosung eines wichtigen Grundes unseres gegenwärtigen Konfliktes finde ich bei ihm dann doch.

Der Systemgegensatz

Alt behauptet schlicht und einfach, ohne dies zu begründen, die »Ideologien von Sozialismus und Kapitalismus« hätten »sich überlebt«. (42) Der bisher »für so wichtig gehaltene Systemgegensatz« zwischen Ost- und Westdeutschland sei »unwichtig geworden«. (99) Meine Behauptung von der mangelnden Begründung wird er nicht gelten lassen. Denn es geht heute »primär um das gemeinsame Überleben« (42) und Hauptfeinde sind »die alle gemeinsam bedrohenden Vernichtungswaffen.« (99) Ich möchte meine Gegenrede wahrhaftig nicht als zynisch verstanden wissen. Über die besondere und neue Lage, die sich aus der Möglichkeit des nuklearen Krieges ergibt, wird noch zu sprechen sein. Zunächst einmal leuchtet es mir nicht ein, wieso ein Konflikt dadurch unwichtig wird, daß die Kontrahenten sich mit Waffen bedrohen. Insoweit das einen Sinn gibt, hätte er im übrigen schon für jede Kriegsmöglichkeit und für jeden tatsächlichen Krieg Geltung gehabt. Alt verleiht meinem Eindruck nach den Atombomben eine Art mythische oder schicksalhafte Autonomie. Es sind aber immer noch konkrete Menschen, welche die Waffen herstellen, aufstellen und über ihre Anwendung zu entscheiden haben. Nicht die Atombombe bedroht die Menschen, sondern Menschen bedrohen sich gegenseitig mit der Atombombe. Es ist ja nicht so, als wäre da dummerweise von irgendwoher ein Sprengkörper mit entsetzlicher Wirkungskraft unter uns gefallen, und als würden wir jetzt unseren Zwist vergessen

31

und ihn gemeinsam entschärfen. Nicht der Konflikt ist überholt, sondern sein kriegerischer Austrag. Es liegt doch auch ganz im Sinne der Intention Franz Alts, die Verantwortung nicht von den Menschen wegzunehmen. Dann sollte man aber auch nicht der Bombe in zumindest mißverständlichen Redewendungen so etwas wie eine Eigenmacht zuschreiben.

Auch wenn es gelingt, die Kontrahenten zum Zwecke der Abrüstung oder gar der Abschaffung der Atombombe an einen Tisch zu bekommen, ist noch nichts ausgesagt über die Wichtigkeit der Konfliktsgründe. Das reale Gewicht dieser Gründe hängt von ihrer Einschätzung durch die handelnden Kontrahenten ab. Sie verlieren nicht schon dadurch an Gewicht, daß einer von uns sich verbal gewissermaßen über den Konflikt stellt und den Leuten erklärt, ihre Streitpunkte seien völlig belanglos. Man kann natürlich für diese Auffassung werben und sich zum Ziel setzen, daß immer mehr Menschen diese Konflikte nicht mehr ernstnehmen. Alt scheint der Meinung zu sein, daß es hinsichtlich der sozialen und politischen Ordnungen nur um ein paar nicht sonderlich bedeutsame graduelle Unterschiede geht. Mit dieser Verniedlichung trifft er bei uns leider auf eine beachtliche Gefolgschaft.

Da wird bei uns landauf landab Selbstbestimmung und Emanzipation gegen den Unterdrücker Staat propagiert. Da wird der zivile Ungehorsam als die notwendige Bürgertugend gepredigt. Da wird jede Art von Befreiungsbewegung in der Dritten Welt unbesehen bejubelt und moralisch tabuisiert. Aber unserem Volke, das vor noch nicht ganz 40 Jahren durch Zerschlagung von außen von einem totalitären System befreit wurde, in dem einem Drittel sogleich ein neues totalitäres System aufgezwungen wurde, wo man aus großer Nähe die Befreiungsversuche in der DDR, in Ungarn, in der Tschechoslowakei und in Polen erlebt hat, will man weismachen, es gäbe einen essentiellen Gegensatz zwischen den politischen Systemen gar nicht.

Alt schreibt an einer Stelle: »Nach dem Motto, daß nicht sein kann, was nicht sein darf, haben sich viele deutsche Demokraten und Kirchenleute in den dreißiger Jahren unseres Jahrhunderts schon einmal täuschen lassen.« (50) Er setzt das in Analogie zur heutigen nuklearen Gefahr und sieht wohl gar nicht, daß der Vergleich besser auf unser Verhältnis zu den Möglichkeiten des Totalitarismus paßt. Wir haben eben leider nicht nur ein einziges großes und schwieriges Problem. Wir leben nicht nur unter der nuklearen Bedrohung, nicht nur unter der Gefahr der Zerstörung unserer Umwelt, nicht nur mit dem Problem des Hungers in der Welt, sondern auch unter dem Jahrhundertproblem der Bedrohung durch den Totalitarismus, – dessen Machthaber sich übrigens die anderen Gefahren trefflich zunutze machen. Alt gesteht zu, daß wir im Westen »mehr Freiheiten als die Bürger Osteuropas« haben. Er fährt dann fort: »Doch die Frage ist: Sind wir auch freier, leben wir freier, wenn auch wir den Regierenden gestatten, den selben atomaren Wahnsinn zu betreiben, den wir bei der Sowjetunion so verurteilen?« (47) Dazu kann ich nur sagen: Hätte die Mehrheit unserer Bürger bei der letzten Bundestagswahl die Grünen zur regierenden Partei gemacht, dann würden jetzt wahrscheinlich die Forderungen von Alt in Sachen Rüstung vom Staat Bundesrepublik erfüllt. Im Augenblick muß er sich noch damit abfinden, daß diese Mehrheit seine Auffassung nicht teilt. Man darf, wenn man für Demokratie ist, nicht den Nutzen der Freiheit in Abrede stellen, weil man mit seiner Auffassung in der Minderheit ist. Und was soll die Floskel »wenn auch wir den Regierenden gestatten«? Auf wen bezieht sich das »auch«? Als ob die Bürger in der Sowjetunion ihren Regierenden irgend etwas zu gestatten oder zu verbieten hätten. Ich lasse mich gerne durch Tatsachen eines Besseren belehren, vorerst stehe ich zu der Voraussage: Sollten Ansätze der Friedensbewegung in der Sowjetunion den dort Regierenden eines Tages wirklich gefährlich werden, dann werden sie ausgeschaltet.

Zur Zeit müssen westliche Regierungen die Friedensbewegungen in ihre Politik mit einbeziehen, sich also in irgendeiner Weise auch daran orientieren. Gleiches für die Sowjetunion nachzuweisen, dürfte schwerfallen. Das sind eben qualitative Systemunterschiede und nicht bloß Fragen nach ein paar Freiheiten mehr oder weniger.

Ein Mittel der Konfliktverharmlosung ist die Sprache. (Es gibt auch die verbale Konfliktverschärfung, mit der ich mich hier und jetzt aber nicht auseinanderzusetzen habe.) Alt fädelt sich unbesonnen in eine Sprachregelung ein, die uns seit Jahren von den Linken suggeriert wird. Auch er charakterisiert den Systemgegensatz, den er für überlebt hält, mit dem Begriffspaar Sozialismus und Kapitalismus. Als ob es sich nur um einen Unterschied in den Wirtschaftssystemen handelte. Und dafür hatten wir früher Begriffe wie Marktwirtschaft, Soziale Marktwirtschaft einerseits und Planwirtschaft oder Zentrale Verwaltungswirtschaft andererseits, unter denen man sich etwas Konkretes vorstellen konnte. Kapitalismus ist ein ziemlich verschwommener Begriff, für die Wissenschaft in gewisser Hinsicht tauglich für die wirtschaftsgeschichtliche Stiluntersuchung. Für verwahrlostes und undiszipliniertes Denken klingt es natürlich sehr attraktiv, wenn gesagt wird: »Man kann westlichen Kapitalismus so wenig mit Freiheit gleichsetzen wie östlichen Kommunismus mit Brüderlichkeit.« (47) Welchen Sand will uns Alt mit solchen – ich bitte um Entschuldigung – albernen Sätzen eigentlich in die Augen streuen? Soll das vielleicht heißen, daß im Kapitalismus graduell mehr Freiheit, wenn auch nicht voll verwirklicht, im Kommunismus hingegen graduell mehr Brüderlichkeit, wenn auch nicht voll verwirklicht, gegeben ist? Ich halte den Unterschied der Wirtschaftssysteme für sehr wichtig, dennoch geht es bei dem, was wir Ost-West-Konflikt nennen, keineswegs ausschließlich und in erster Linie um die Art des Wirtschaftens. Vielleicht sollte auch wieder einmal daran erinnert werden, daß im Naziregime die Wirtschaft bis zum Krieg weitgehend

»kapitalistisch« organisiert war. (Es gibt zwischen Wirtschaftssystem und politischem System bedeutende Wechselwirkungen, sie liegen also nicht beziehungslos nebeneinander. Dieser Problembereich braucht hier nicht erörtert zu werden.)

Man muß doch immer wieder konkret fragen (und fragen dürfen, ohne sogleich als blindwütender und hassender Antikommunist verschrien zu werden): Wollen wir, daß alle politische Macht bei einer einzigen Partei, genauer bei deren Führung liegt? Wollen wir, daß der Staat bestimmt, was die Bürger lesen, hören und sehen dürfen? Wollen wir, daß die politische Führung nach eigenem Gutdünken Tausende von politisch Andersdenkenden einsperren kann? Wollen wir, daß mißliebige Schriftsteller und Wissenschaftler von Staats wegen in die psychiatrische Klinik geschickt werden? Wollen wir, daß der Staat uns verbietet, ins Ausland zu reisen? Wollen wir, daß Leute wegen »Wirtschaftsvergehen« (z. B. Betätigung auf dem Schwarzen Markt) zum Tode verurteilt werden? Sind das alles »unwichtige« Unterschiede?

Alt hat ja Recht, wenn er meint, wir müßten weniger von Leid, »sondern eher von unserer Unfähigkeit zum Leiden; nicht von Trauer, sondern eher von unserer Unfähigkeit zur Trauer« befreit werden. (101) Das scheint mir einer der wichtigsten Aspekte am christlichen Liebesgebot zu sein: Daß man nicht nur an seinem eigenen Leid, sondern auch an dem der anderen leidet. Unsere Gefahr ist immer die der Stumpfheit, vor allem so lange es uns selbst einigermaßen gut geht. Wir leiden nach wie vor zu wenig darunter, daß so viele Menschen in der Welt hungern und verhungern. Wir haben darunter gelitten, daß so viele Angehörige unseres Volkes aus ihrer Heimat vertrieben wurden; daß seitdem dieses Schicksal eine viel größere Zahl von Menschen in der Welt getroffen hat und noch trifft, nehmen wir kaum zur Kenntnis. Wir machen plötzlich die Ausländer, die wir jahrelang in unser Land geholt haben, zu unserem eigenen

Leiden, weil sie unsere gewohnten Lebenskreise mitunter stören, und weil wir uns fälschlicherweise einbilden, sie seien unseren Arbeitslosen im Wege; deren eigene Probleme interessieren uns wenig. Wir leiden nicht an den 130 Kriegen mit den vielen Millionen Toten, die in der Welt seit dem Zweiten Weltkrieg stattgefunden haben. (106) Wir sind zu stumpf, auch darin gebe ich Franz Alt Recht, gegenüber der nuklearen Bedrohung. Schon gar nicht leiden wir darunter, daß Millionen von Menschen hier in Europa in Unfreiheit leben müssen. Und merkwürdigerweise üben die meisten, die uns in unserem Lande für diese Leiden sensibler machen wollen, in diesem Punkt große Zurückhaltung. Im Gegenteil: Die Systemgegensätze sind »überlebt« und »unwichtig«. Die Kunde von der materiellen Not der Polen kam bei uns an und löste Paketaktionen aus. Ich will deren Bedeutung nicht schmälern. Ich weiß auch, daß wir gegen die Unfreiheit der Menschen in den sogenannten sozialistischen Staaten auf gleich konkrete Weise nicht helfen können. (Übrigens ist das zumindest auch eine Folge der atomaren Bewaffnung. Ich erinnere an die ohnmächtige Empörung, die im Westen so manchen ergriff, als wir die Unterdrückung des Freiheitswillens in der DDR, in Ungarn, in der Tschechoslowakei, in Afghanistan und in Polen beobachten mußten. Solchen regionalen »Kirchhofsfrieden« (102) zahlen wir als Preis für den Weltfrieden. Aber was wäre geworden, hätte der Westen mit »konventionellen« Waffengängen helfen können?) Mir geht es hier um die Tatsache, daß die Gefahren und Leiden des Totalitarismus bei uns im Vergleich zu anderen Problemen keine bewegenden Themen mehr sind. Ich räume auch ohne weiteres ein, daß es bei anderen Leuten Blindheit gegen »rechte« Diktaturen in der Welt gibt. Sagen wir es also allgemeiner: Freiheit und Unfreiheit sind bei uns kein Thema; insoweit sie es gelegentlich werden, dienen sie eher als Kampfsymbole für die innenpolitische Auseinandersetzung.

Feindesliebe und politische Systeme

»Unsere moralische Überheblichkeit gegen Kommunisten verstellt uns den realistischen Blick für die eigenen atomaren Sünden.« (65) »Feindesliebe heißt heute: Auch Kommunisten sind Schwestern und Brüder, weil alle Menschen denselben Vater haben.« (87) Hier spricht Alt – völlig richtig – nicht von »Kommunismus«, sondern von Kommunisten. Die Feindesliebe setzt ein Verhältnis von Feindschaft voraus. Der Hinweis auf den gemeinsamen himmlischen Vater gilt umfassend ohne jeden Abstrich, er galt auch für Hitler und seine Gefolgschaft.

Das Gebot der Feindesliebe fordert nicht von uns, daß wir unsere Fähigkeit zur Unterscheidung blockieren. Im Gegenteil: Nur indem man unterscheiden lernt, kann man diesem Gebot auch nur halbwegs annähernd gerecht werden. Wir müssen unterscheiden zwischen dem politischen System oder seiner Ideologie, den Repräsentanten und willentlichen Vertretern des Systems und den Menschen, die, ob sie wollen oder nicht, unter dem System leben müssen. Gerade im Blick auf Letztere scheint es mir bedenklich, wenn Alt an derselben Stelle meint, unsere moralische Überheblichkeit gegenüber Andersdenkenden sei ein Grund der Friedlosigkeit in der Welt. Hier wird mir etwas zu schnellfüßig über die Tatsache hinweggegangen, daß im kommunistischen System viele Menschen gerne anders denken bzw. ihr Denken gerne zum Ausdruck bringen würden, aber nicht dürfen.

Nicht das Mensch- und Personsein begründet die Feindschaft, sondern das, was die Kommunisten wollen und tun. Und die Anerkennung der gemeinsamen Gotteskindschaft setzt uns hinsichtlich der Formen des Austrags dieser Feindschaft Grenzen. Wenn Franz Alt gegen »Russenhaß« angehen will, hat er mich sofort an seiner Seite. Wenn er mir einreden will, ich dürfe nicht Antikommunist sein, trennen wir uns. Ich bin auch der Auffassung, daß wir gute

Gründe dafür haben, uns dem Kommunismus gegenüber für moralisch überlegen zu halten, weil für mich die totalitäre Diktatur schon von ihrem Entwurf her unmoralisch ist. Was christliche Praxis nun so überaus schwierig und anstrengend machen kann, das ist eben die Unterscheidung in der konkreten Situation. Meine Feindschaft gegenüber dem Wollen und Tun eines anderen schlägt immer wieder um in den Haß gegen ihn selbst. Hier ruft uns das Wort Jesu immer wieder zurück, überführt uns mitten im Kampf um Gerechtigkeit immer wieder der eigenen Ungerechtigkeit. Das ist vielleicht das Schwierigste, was dem Christen abverlangt ist. Einem Gegner des Naziregimes ist es schwergefallen, Hitler nicht zu hassen. Ebenso ist es vielen im Falle Stalin gegangen.

Ich denke, wir haben es hierin zur Zeit etwas leichter. Die derzeitigen Führer des Kommunismus stellen sich uns nicht in diesem Sinne als persönliche Tyrannen dar; zumindest im Stil hat sich einiges geändert. (Es ist hier nicht der Ort, Gründe dafür zu analysieren. Es sei nur erinnert an das abschreckende Beispiel Stalins und an die beabsichtigte und notwendige Durchbrechung der Isolation der Sowjetunion. Was die Stilveränderung langfristig im System bewirkt, läßt sich schwer sagen. Zweifellos kann man Milderungen in der Härte des Systems konstatieren. In der Grundstruktur hat es sich nicht verändert.)

Es geht aber beim Gebot der Feindesliebe sicherlich nicht nur um Gefühle oder deren Bändigung. Ethik, auch christliche Ethik, ist nicht primär eine Sache des Gefühls. Sie will mit der Vernunft vernommen und mit dem Verstand begriffen werden. Ich gebe Franz Alt Recht, wenn er für die Feindesliebe eine »intelligente Politik« fordert. (36) (Ansonsten fordert er uns für meine Begriffe zu sehr zu einer Rückkehr in die Emotionalität auf. Darüber wird an anderer Stelle zu diskutieren sein.) Intelligenz ist gerade dann gefordert, wenn man sich am christlichen Liebesgebot orientieren und gleichzeitig die gegebenen Konfliktinhalte nicht vernebeln will. Das heißt immer auch Versachlichung und Begrenzung des Konflikts. Nicht wir Menschen als solche stehen eigentlich im Konflikt, sondern das, was wir wollen und tun. Diese Einsicht erst gibt die Basis auch dafür ab, daß man mit dem Konfliktpartner vielleicht sogar darüber reden kann, mit welchen Methoden man den Konflikt austragen will. Das ist eine rationale Angelegenheit auf ethischer Grundlage. Von solcher Rationalisierung verspreche ich mir mehr Friedensförderung als von Emotionalisierung. Negative Emotionalisierung erzeugt Haß und Angst. Positive Emotionalisierung in dem Sinne etwa, daß man die Probleme, die zwischen uns bestehen, zudeckt, weil man in den anderen nur die zu liebenden Menschen sieht, kann leichtfertig sein. Die Feindesliebe könnte da, wenn ich das einmal so grobschlächtig gegenüberstellen darf, in Konkurrenz zur Nächstenliebe treten. Zu einer von der Nächstenliebe durchwirkten Politik gehört für mich, daß ich zumindest dem Teil unseres Volkes, der sie schon hat, die Freiheit erhalten will.

4. Zur Lage

Die Tatsache des nuklearen Potentials

Die Atombombe ist in der Welt. Sie läßt sich weder weg-
wünschen noch wegdiskutieren. Auch der Protest gegen sie
beseitigt sie nicht. Auch die Analyse der Wege, auf denen es
dazu gekommen ist, machen die geschichtliche Tatsache
nicht rückgängig, ob sie nun mit oder ohne Schuldzuwei-
sung durchgeführt wird. Bei Franz Alt heißt es: »Das Wissen über die Herstellung von Atomwaffen können wir nicht
wieder abschaffen. Damit müssen wir leben. Aber die
Gefahr ist zu groß, um auch noch mit den Atomwaffen
selbst auf Dauer leben zu können.« (32)
Der Zustand von vorher ist also nicht mehr herbeiführbar,
es sei denn durch die Bombe selbst, indem sie alle menschlichen und materiellen Wissensträger vernichtet. Dies sind
alles Selbstverständlichkeiten. Aber man muß von ihnen
ausgehen, will man sich dem Problem nicht nur mit Gefühlen, sondern mit der Kraft des Geistes nähern. Bei manchen
Diskussionen und Demonstrationen hat man den Eindruck,
als ginge es nur ganz einfach darum, einen Fehltritt rückgängig zu machen. Die Gefahr ist durch »Pfeifen im dunk-
len Wald« nicht zu bannen. Auch durch das »Anschreien«
gegen eine Gefahr verändert man zunächst höchstens seine
eigene Befindlichkeit, indem man die Angst bannt, aber
nicht die Gefahr selbst. Das alles sind verständliche Reaktionen. Man sollte aber immer wieder nüchtern prüfen, ob
es einem im Innersten nicht doch eher um die Klärung des
eigenen Verhältnisses zum Problem geht, nicht so sehr um
das Problem selbst.

Möglichkeiten der künftigen Entwicklung

Hinsichtlich der Atomwaffen gibt es nur drei Möglichkeiten: 1. Die Atomwaffen werden wieder abgeschafft. – 2. Die Atomwaffen bleiben, werden aber nicht eingesetzt. – 3. Die Atomwaffen werden eingesetzt.

Für die erste und wünschenswerteste Entwicklung gibt es für absehbare Zeit wenig Wahrscheinlichkeit. Wirklich abgeschafft wäre die Atombombe erst dann, wenn garantiert wäre, daß sie auch von potentiellen Atommächten nicht realisiert wird. (Auf Probleme der »Abschaffung« im technischen Sinne, also auf Fragen der Beseitigung, Unschädlichmachung usf., brauchen wir uns in diesem Zusammenhang nicht einzulassen.) Es sind wiederum drei Wege denkbar:

a) Die Abschaffung wird von einer übergeordneten Instanz erzwingbar. Diese Instanz gibt es vorderhand nicht. Außerdem erhebt sich die Frage, welche Machtmittel einer solchen Instanz zukommen müßten, um derartige Weltregierungsbeschlüsse durchsetzen zu können. Solange dies Atomwaffen sein müßten, wären diese nicht aus der Welt.

b) Die Abschaffung erfolgt auf Vereinbarung aller derzeitigen und potentiellen Atommächte. Dies wäre wohl die vernünftigste Lösung. Aber die Chancen für sie stehen nicht gut. Eine solche Vereinbarung müßte entweder wiederum von einer übergeordneten Instanz oder gegenseitig kontrollierbar sein. Ein wirklich funktionierendes Kontrollsystem könnte wohl kaum so selektiv ausgerichtet sein, daß es nur die Herstellung und Lagerung von Atomwaffen erfassen würde. Und es müßte, wie gesagt, wenn die Bombe wirklich »aus der Welt« sein sollte, auch die Staaten erfassen, die zu Atommächten werden könnten. Eine rundum wirksame Vereinbarung lediglich auf Vertrauensbasis setzt eine weltweite Interessenharmonie voraus, die wiederum illusorisch ist.

Hier kann man einwenden, es sei keineswegs eine allgemeine Interessenharmonie nötig, es genüge ein gemeinsames Interesse an der Abschaffung des nuklearen Potentials. Da scheint mir aber eine Unterscheidung angebracht: Man kann derzeit wohl von einer Interessengemeinsamkeit darin ausgehen, daß Atomwaffen nicht eingesetzt werden. Dies ist keineswegs schon identisch mit einem gemeinsamen Interesse an der Abschaffung, solange dieses Potential die Funktion eines offensiven oder defensiven Drohmittels haben kann. Gerade in dieser Hinsicht sind auch innerhalb der Friedensbewegungen irrige Vorstellungen im Umlauf. Es stimmt eben einfach nicht, daß das Interesse, Atomwaffen zu haben, identisch ist mit dem Interesse, sie anzuwenden. Man kann dies als irrational oder unvernünftig charakterisieren, es gehört aber zur realistischen Beschreibung der Lage. Auch ist durchaus die Frage sinnvoll, ob hierin nicht trotz allem auch so etwas wie ein Fortschritt zu sehen ist. Es ist wohl zum erstenmal, daß bei einer Kriegstechnologie diese beiden Interessen so sinnfällig auseinanderlaufen. In unserer jetzigen Periode scheint mir darin allerdings eher eine Chance für die Nichtanwendung als für die Abschaffung zu liegen.

c) Es wird ein dritter Weg propagiert, der ebenfalls mehr von Hoffnungen als von nüchternen Einschätzungen lebt. Ich meine den Vorschlag der einseitigen atomaren Abrüstung. Man denkt, wenn wir unser atomares Potential abschaffen, werden andere folgen. Man muß aber doch wohl nüchtern fragen, welches eigentlich die konkrete Motivation für den anderen sein sollte. Er kann sich in einem solchen Falle weitere Anhäufung des Potentials sparen, er behält aber ein wichtiges Machtmittel seiner Politik in der Hand, wenn er die gegebenen Bestände dieses Potentials behält. Die Hoffnungen der einseitigen Abrüstung beruhen auf folgenden, wie ich meine naiven, Annahmen: Wenn wir auf alles verzichten, wodurch der andere sich bedroht fühlen kann, wird er dasselbe tun. Wenn wir bedingungslos darauf verzichten, uns gegen Bedrohungen, die wir wahrnehmen, zu verteidigen, dann wird auch der andere auf jede Bedrohung verzichten.

Als dritte Möglichkeit nannte ich den Einsatz der Atomwaffen. Das ist der Fall, der verhindert werden muß. Es wird immer wieder behauptet, die Tatsache, daß es diese Waffen gibt, determiniere auch ihren Einsatz. Richtig ist, daß wir unter einem solchen Risiko leben. Nicht richtig ist hingegen, daß die Existenz dieser Waffen unter allen Umständen und zwingend in ihre Anwendung führt. Wenn meine obrige These richtig ist, daß es zwar ein Interesse am Besitz, aber kein Interesse an der Anwendung gibt, dann ist die Wahrscheinlichkeit der dritten Entwicklung etwa gleich gering wie die Wahrscheinlichkeit der baldigen Abschaffung dieses Potentials.

Geht man nicht von der Annahme aus, es würden plötzlich ausgerechnet in unserer Epoche alle Staaten sich ausschließlich an moralischen Prinzipien orientieren, sondern davon, daß sie vor allem auch eigene Interessen wahren wollen, dann scheint mir unsere zweite Entwicklungsmöglichkeit für eine von uns heute absehbare Zeit die wahrscheinlichste.

Es führt nicht viel weiter, dauernd zu wiederholen, dies sei schlecht und müßte anders sein. Natürlich ist unsere Lage alles andere als gut, bequem oder befriedigend. Aber Aussagen darüber, was sein sollte, haben einen anderen Charakter als Aussagen darüber, was voraussichtlich sein wird. Wer die These, daß von den drei genannten Entwicklungsmöglichkeiten die zweite die wahrscheinlichste sein wird, bestreitet, der muß entweder eine vierte Möglichkeit nennen oder Gründe dafür anführen, daß die Möglichkeit 1 oder 2 wahrscheinlicher ist. Sollte die Möglichkeit 3, also der Einsatz der Waffe, die größere Wahrscheinlichkeit für sich haben, dann ist unsere Lage ziemlich hoffnungslos. Will man diese Wahrscheinlichkeit reduzieren, dann muß man

43

auf die anderen beiden setzen und fragen, welcher dieser beiden Wege zur Verhinderung des dritten Falles chancenreicher ist. Will man nicht nur bekennen und reden, dann wird man sich sinnvollerweise arbeitend der Möglichkeit zuwenden, die zur Zeit die größeren Realisierungschancen bietet. Es ist moralischer, an der zweitbesten Lösung zu arbeiten, wenn diese die größeren Realisierungschancen bietet als die beste; erst recht, wenn man dadurch die schlechteste verhindert.

Rationalität und Irrationalität

Das System der Abschreckung stellt einen Versuch dar, die Anwendung der Atomwaffen zu verhindern, solange die erste Möglichkeit, also ihre Beseitigung, nicht realisierbar ist. Das ist unter den gegebenen Bedingungen eine rationale Antwort auf die Lage. Damit ist nicht behauptet, die Lage selbst sei ebenso als rational zu charakterisieren. Aus der Sicht einer sich über die subjektiven Sichtweisen der Akteure erhebende Vernunft ist die Lage irrational. Solche Diskrepanz ist nicht neu. Auch noch so rationales Handeln ist immer mit Handlungsfeldern konfrontiert, die im besten Fall eine Mischung von Rationalität und Irrationalität darstellen, keinesfalls aber ausschließlich rational sind. Auch die subjektiven Sichtweisen von Kontrahenten können sehr wohl rational sein, obwohl eine übergeordnete Vernunft die ganze Konstellation als irrational bezeichnen muß. Vielleicht kann man auch sagen: Es liegen unterschiedliche Arten von Rationalität, unterschiedliche und gegensätzliche Begründungen rationalen Verhaltens miteinander im Streit; und das Ergebnis dieses Zusammen- oder Gegeneinanderwirkens braucht keineswegs rational oder nur rational zu sein.

Man kann die Irrationalität des Abschreckungssystems mit einer einfachen Argumentation belegen: Entweder funktioniert die Abschreckung oder sie funktioniert nicht. Wenn sie nicht funktioniert, verliert sie ihren Zweck, ist also sinnlos. Wenn sie funktioniert, bedeutet dies, daß sie die Atommächte daran hindert, gegeneinander Krieg zu führen. Wenn diese Mächte also keinen Krieg mehr gegeneinander führen können, warum verzichten sie nicht ohne diesen ungeheuren Rüstungsaufwand auf ihn? Dies wäre etwa die Argumentation eines wirklich »gesunden Menschenverstandes«. Aber sie unterstellt eben eine Rationalität, mit der offensichtlich nicht gerechnet werden kann.

Vergegenwärtigt man sich die Konfliktsgründe, die in der Geschichte bis unmittelbar in unsere Zeit hinein zu Kriegen geführt haben, dann gab es seit dem Zweiten Weltkrieg auch in Europa immer wieder Konflikte, die unter sogenannten konventionellen kriegstechnologischen Bedingungen nahe an der Wahrscheinlichkeit eines Krieges lagen. Man denke etwa an die Konflikte um Berlin. Und wer von den gerechten Befreiungskriegen in der Dritten Welt spricht, müßte eigentlich viel Verständnis aufbringen für die ohnmächtige Empörung, die viele Leute im Westen empfanden, als die Befreiungsversuche in der DDR, in Ungarn, in der Tschechoslowakei und in Polen ohne militärische Unterstützung des Westens bleiben mußten und auch dadurch zum Scheitern verurteilt waren. (Wer dieses Verständnis nicht aufbringt, lebt auch mit einer »doppelten Moral«, auf die Franz Alt so gerne in anderer Richtung hinweist.)

Unter den Bedingungen unserer Lage pflegen aber auch die eine doppelte Moral, die sich in ihrem Protest gegen die Rüstungsanstrengungen des Westens bedenkenlos mit orthodoxen Kommunisten verbinden, die uns weismachen wollen, die Aufrüstung des Ostblocks diene dem Frieden, die des Westblocks dem Krieg. Man muß sich zum Beispiel einmal die Unterzeichnerliste des »Krefelder Appells« ansehen, um sich darüber klarzuwerden, wie viele ehrlich für den Frieden engagierte einzelne und Gruppen sich nicht

nur die Nachbarschaft von scheinheiligen Friedensverfech-
tern gefallen lassen, sondern sich auf eine aktive Kooperation mit ihnen eingelassen haben. Solange hierin in Theorie
und Praxis keine ganz klare, für jedermann wahrnehmbare
Trennung vollzogen wird, sind für mich große Teile der
Friedensbewegung unglaubwürdig.

Man kann zwar sagen, es sei jenseits der Moral wiederum
im Hinblick auf ein bestimmtes Ziel rational, sich mit allen
zu verbünden, die dasselbe Ziel haben, auch wenn man
sonst wenig mit ihnen gemeinsam hat. Wenn man sich also
etwa auf das Ziel konzentriert, den Nato-Doppelbeschluß
zu verhindern, dann scheint es zweckrational zu sein, sich
auch durch diejenigen verstärken zu lassen, die die Interessen jener Macht vertreten, vor deren bereits vorhandenen
Raketen uns die westlichen schützen sollen. Damit ist
allerdings wiederum noch nichts darüber ausgesagt, wie
rational der Kampf gegen den Nato-Doppelbeschluß im
Rahmen einer Handlungsstrategie ist, welche die Friedenssicherung zum Ziel hat. Es ist auch noch nichts darüber
ausgesagt, wie rational der Nato-Doppelbeschluß im westlichen Konzept der Friedenssicherung ist.

Am leichtesten läßt sich rein ökonomische Zweckrationali-
tät definieren. Es ist rational, ein wirtschaftliches Ziel mit
möglichst geringem Aufwand zu erreichen. Das Ziel und
den Aufwand kann man messen und in Geld ausdrücken.
Man muß aber kein Wirtschaftswissenschaftler sein oder
sich in ökonomischen Entscheidungstheorien auskennen,
um zu sehen, daß eine so einfache Rationalitätsberechnung
nur im begrenzten Rahmen eines einzigen ökonomischen
Zieles sinnvoll ist. Sobald ich mehrere Ziele gleichzeitig
oder im Zeitablauf gegeneinander abzuwägen habe, wird die
Verwirklichung von Rationalität schwieriger. Ich kann – um
ein extremes Beispiel zu verwenden – den Aufwand für ein
bestimmtes Produkt dadurch minimalisieren, daß ich meine
Mitarbeiter bei möglichst geringer Entlohnung zum möglichst großen Arbeitsaufwand zwinge. Will ich aber meine

Mitarbeiter auch für spätere Produkte oder für möglichst lange Zeit halten, dann ist eine solche »Ausbeutung« nicht mehr rational. Noch unabhängig von moralischen Erwägungen stellt sich Rationalität meines Handelns anders dar, ob ich jetzt mit einem Produkt möglichst schnell möglichst viel Geld machen will oder ob ich mir zum Ziele gesetzt habe, einen Betrieb aufzubauen, der über viele Jahre hinweg und evtl. auch durch Krisenphasen hindurch funktionsfähig bleibt. Die Rationalität der Methoden bestimmt sich nicht zuletzt von den Zielen her. Und wenn ich mehrere Ziele habe, lassen sich die Verhältnisse der Ziele untereinander wiederum dem Kriterium der Rationalität unterwerfen. Habe ich zwei gleichwertige Ziele, dann ist es nicht rational, das eine Ziel so zu verwirklichen, daß die Erreichung des anderen dadurch unmöglich wird.

Die Erhaltung des Friedens ist unser aller Ziel. Der Satz, also ist alles, was uns diesem Ziel näherbringt, rational, ist nicht widerlegbar, transportiert aber kaum eine Information. Er ist nicht irrational, aber er ist arational oder noch nicht rational im Sinne einer Maxime für das Handeln. Wir streiten uns ja nicht über das Ziel, sondern über die Wege. Auch seine ständige Wiederholung macht ihn nicht rationaler. Eine große Demonstration gegen die Tatsache, daß es in unserer Gesellschaft Diebstahl, Raub und Mord gibt, verhindert noch nicht eine dieser Taten. Wir können auch nicht ausschließen, daß jemand, der an dieser Demonstration teilnimmt, irgendwann selbst zum Täter wird. Wir können noch nicht einmal ausschließen, daß Räuber und Mörder zur Tarnung mitdemonstrieren!

Es ist eine rationale Politik, wenn ein Staat sich bedroht fühlt und aus diesem Grunde ein Verteidigungssystem aufbaut, das bedrohende Staaten von Aggressionen abhalten soll. Unabhängig von moralischen Erwägungen über gerechte und ungerechte Kriege kann es in sich auch rational sein, die Bedrohung durch – vielleicht auch militärische – Schwächung des Gegners zu beseitigen. Hier müßte man wohl eher sagen: »Es konnte« im vornuklearen Zeitalter rational sein. Wenn beide sich jeweils vom anderen bedroht fühlen, handeln sie rational, wenn sie sich gegen diese Bedrohung durch Verteidigungsanstrengungen schützen. Für eine gewissermaßen über den Kontrahenten angesiedelte Vernunft ist ein aus dieser Konstellation möglicherweise heraustreibendes Wettrüsten nicht sehr rational oder vernünftig.

Um aus solcher Einsicht aber unmittelbare Folgerungen für das politische Handeln ziehen zu können, ist sie noch zu abstrakt. Diese übergeordnete Vernunft kann eben nicht schon deshalb, weil sie vernünftig ist, Wirklichkeiten verändern oder die irrationalen Elemente aus der Realität beseitigen. Diese Vernunft muß zur Vernunft der Beteiligten und Betroffenen werden. Sie löst die Irrationalität der Lage noch nicht auf, wenn sie nur zur Vernunft des einen der beiden Kontrahenten wird. Das reale Problem ist noch nicht einmal dann gelöst, wenn beide sich in solcher Vernunft treffen, also etwa gemeinsam feststellen: Was wir da tun, ist doch eigentlich unvernünftig, wir sollten Wege aus dieser Unvernunft suchen. Ich sage nicht, dies würde nichts bedeuten, sondern lediglich, daß das Problem damit noch nicht gelöst ist. Solche Einsicht löst nämlich das Mißtrauen noch nicht auf, von dem jeder glaubt, daß das seinige gegenüber dem anderen berechtigt sei. Wenn einer subjektiv Gründe für Mißtrauen gegenüber dem anderen hat, dann ist es rational, ihm zu mißtrauen, anstatt gegen diese Gründe zu vertrauen. Solange ich Gründe für das Mißtrauen habe, ist es nicht rational, so zu tun, als gäbe es diese Gründe nicht. Vernünftig hingegen ist es, sich immer wieder zu fragen, inwieweit das Mißtrauen sich auf Sprechen und Handeln des anderen stützen kann, oder wie weit es eingebildet sein könnte. Und vernünftig ist es, sich immer wieder zu fragen, warum der andere Mißtrauen mir gegenüber hat, inwieweit es berechtigt ist, – inwieweit es »rhetorisch« zur Legitimierung eigener Interessen ist, – oder inwieweit ich durch mein Verhalten den anderen unnötigerweise zum Mißtrauen provoziere.

Damit habe ich die Dimension angedeutet, in der meiner Meinung nach eine Diskussion der Probleme verlaufen sollte. Es führt überhaupt nicht weiter, wenn man sich lediglich seine Gefühlsausbrüche um die Ohren schlägt. Weder mit einem völlig unüberlegten, weitgehend emotional bestimmten Antikommunismus, noch mit dem ebenso unreflektierten lautstarken Austausch von Friedenssehnsucht helfen wir uns gegenseitig bei der Suche nach dem Frieden weiter. Beides sind irrationale Reaktionen auf eine rational und irrational gemischte Lage.

Der Gebrauch der Begriffe muß kurz erklärt werden. Dabei geht es nicht um eine wissenschaftliche Begriffsanalyse, sondern um die Mitteilung, wie ich die Begriffe hier und in diesem Zusammenhang verstehe. Ich verstehe unter Rationalität hier zunächst einfach den Gebrauch der Erkenntnisfähigkeit unseres Verstandes. Irrational ist es zum Beispiel, ein Problem, das nur mit dem Verstand lösbar ist, ohne seine Benutzung lösen zu wollen. Das kann auch ein Erkenntnisproblem sein. Irrational ist es, eine Erkenntnis des Verstandes nur deshalb nicht zu akzeptieren, weil sie einem unbequem ist oder weil sie zur Korrektur bisheriger Meinungen zwingt. Irrational wäre es aber auch, zu glauben, der Verstand könne sich nicht irren.

Reine Wissenschaftsgläubigkeit, die also alles unbesehen für richtig hält, was mit dem Anspruch auf Wissenschaft auftritt, ist irrational. Aber gerade dieses Beispiel verweist uns auf die schon angedeuteten Stufen von Rationalität. Die Wissenschaftsgläubigkeit, auf die wir alle nicht ganz verzichten können, ist nämlich in sich wiederum ein Stück weit rational im Sinne der Rationalität, die mit der ökonomischen verwandt ist. Selbst wenn es theoretisch möglich wäre, könnten wir uns den Aufwand, alle Ergebnisse von Wissenschaft zu überprüfen, also den Weg der Wissenschaft jeweils selbst noch einmal zu gehen, nicht leisten.

Wir müssen immer wieder Ergebnisse von Wissenschaften als richtig unterstellen oder auf Erkenntnisse verzichten. Auch letzteres ist nicht ohne Rationalität im engeren Sinne. Wir wollen und können gar nicht ständig alles wahrnehmen oder im Bewußtsein haben, was die Wissenschaften uns über alles mitteilen. Wenn wir uns an einem Stück Natur einfach nur erfreuen wollen, dann »stören« uns in diesem Augenblick die Erkenntnisse, die die Wissenschaften über diese Natur zusammengetragen haben. Wenn ich aber eine Pflanze großziehen will, dann empfiehlt es sich, den Verstand einzuschalten, anstatt die Pflanze in den Schatten zu setzen, wenn die Wissenschaft sagt, gerade sie brauche möglichst viel Sonne.

Man kann Rationalität nicht generell mit Richtigkeit gleichsetzen. Wenn mir beim Gebrauch des Verstandes ein Denkfehler unterläuft, wird dadurch mein Verhalten nicht irrational. Irrational hingegen ist es, wenn mir der Denkfehler nachgewiesen ist und ich trotzdem auf ihm beharre, weil ich in mein Ergebnis verliebt bin. Von Irrationalität sprechen wir also vor allem dann, wo wir auf Verstandestätigkeit verzichten oder sie verwerfen, obwohl unsere Absicht oder unser Ziel dieselbe verlangen. So gesehen sind Gefühle nicht irrational, sondern arational. Mit diesem Begriff verbinden wir also zunächst keine Wertung. Die Emotionalität gehört zu unserer menschlichen Natur wie die Rationalität. Aus ihr kommen die Antriebe unseres Handelns. Es sind nicht zwei völlig getrennte Triebwerke, von denen wir beliebig das eine oder andere abschalten können. Auch der Wissenschaftler, der bei seinem wissenschaftlichen Tun streng auf Rationalität verwiesen ist, freut sich über richtige Ergebnisse und empfindet Enttäuschung, wenn ihm Fehler unterlaufen sind.

Es ist nicht rational, Tatsache und Berechtigung der Emotionalität zu ignorieren. Wiederum jenseits aller moralischen Erwägung ist es irrational, das von Gefühlen angetriebene Engagement in Friedensbewegungen als bloße Gefühlsduselei abzutun. Irrational ist es aber auch, zu meinen, das Engagement alleine würde schon Wege zum Ziel aus sich herausbringen. »Demonstration von Betroffenheit ist kein Ersatz für Abrüstung und kein wirklicher Beweis für Friedensfähigkeit«, sagt Franz Alt. (71) Man muß diesen Satz aber allgemein, also auch auf Friedensbewegungen anwenden und nicht nur auf den Präsidenten der USA, wie es Alt an dieser Stelle tut. Kurz danach stellt er auch fest, der Glaube sei »kein Ersatz für richtiges, verantwortliches Handeln«. (73) Und schließlich: »Wer Politik ändern will, muß auch konkret überlegen, wie sich Politik ändern läßt. Das tun nicht alle in der Friedensbewegung.« (93)

Das scheint mir einer der richtigsten und wichtigsten Sätze in dem Buch von Franz Alt zu sein, daß Demonstration von Betroffenheit noch kein Beweis für Friedensfähigkeit ist. Die Verweigerung gegenüber dieser Einsicht gehört zur Beschreibung unserer derzeitigen Lage. Man trifft in Diskussionen über das Problem immer auf fanatisierte Anhänger von Friedensbewegungen, die sich auf die Frage nach dem »Wie« einfach nicht einlassen und den, der sie zu stellen wagt, bereits als friedensunwillig oder friedensunfähig diffamieren. Das führt dann dazu, daß wir nicht einmal friedlich über das Problem Frieden miteinander sprechen können. Ohne emotionale Betroffenheit droht uns die Gleichgültigkeit gegenüber der Gefahr. Vom Verstand allein gelassen weist die Emotionalität aber noch kein Stückchen Weg zum Frieden. Vieles von dem, was in den Friedensbewegungen gesagt und geschrieben wird, mutet wie ein Rückfall in die Magie an: Man glaubt, das wilde Tier gebändigt zu haben, wenn man es an die Wand malt.

Atomarer und konventioneller Krieg

Krieg bedeutet nicht zugleich Atomkrieg. Einen nuklearen Krieg, in dem beide Gegner Atomwaffen einsetzen, hatten wir noch nicht. Sogenannte konventionelle Kriege werden ständig irgendwo auf der Welt geführt. Aus der bisherigen Erfahrung könnte man also schließen, daß konventionelle Kriege nach wie vor wahrscheinlicher sind als der Atomkrieg. Aber die Erfahrungszeit ist zu kurz, um aus ihr alleine auch nur halbwegs sichere Schlüsse ziehen zu können. Trotzdem muß gefragt werden, ob sich zwischen beiden Tatsachen Zusammenhänge erkennen lassen. Zunächst können wir nur feststellen, daß sich noch keine Atommacht auf einen direkten bewaffneten Konflikt mit einer anderen Atommacht eingelassen hat, obwohl es immer wieder Konfliktgegenstände gab, die unter konventionellen Bedingungen mit hoher Wahrscheinlichkeit zu einem Krieg geführt hätten.

Bevor wir die Lage unter diesem Gesichtspunkt weiter analysieren, möchte ich darauf aufmerksam machen, daß wir bei einer zu engen Fixierung unserer Diskussion auf den nuklearen Krieg immer wieder Gefahr laufen, den sogenannten konventionellen Krieg – wenn auch unbewußt – zu verharmlosen. Die Qualität des Krieges hat sich in unserem Jahrhundert rapide verändert. Schon der Erste Weltkrieg war mit dem Einsatz von Maschinengewehren, Panzern und Flugzeugen im Vergleich zum bis dahin erfahrenen Kriegsgeschehen nicht mehr »konventionell«. Wer den Zweiten Weltkrieg in welcher Weise auch immer erlebt hat, der weiß, welche Schrecken und Verheerungen sich mit dem heutigen Begriff »konventionell« verbinden. Mit solchen Hinweisen soll wahrhaftig nicht umgekehrt der nukleare Krieg verharmlost werden, so als wäre er halt nur ein weiterer Schritt in der Perfektionierung der Kriegstechnologie. Wenn wir aber einen großen Krieg erwarten müßten und hoffen könnten, es werde kein nuklearer, sondern ein konventioneller sein, dann wäre diese Hoffnung doch wohl alles andere als beruhigend. Es muß uns um den Frieden, also um die Verhinderung des Krieges überhaupt gehen, nicht aber »nur« um eine »Domestizierung« eines eventuellen kommenden Krieges durch Nichtanwendung von Atomwaffen.

Trotzdem sind dahingehende Überlegungen nicht sinnlos. Wenn es für ein Problem eine gute, eine schlechte und eine ganz schlechte Lösung gibt, dann ist die schlechtere besser als die ganz schlechte, wenn die gute nicht realisierbar ist. Der Zweite Weltkrieg wäre nicht dadurch gut geworden, daß man die Bombardierung der Städte hätte verhindern können; trotzdem wäre ihm eine seiner schlechten Qualitäten genommen gewesen. Die Zerstörungen und Toten des Zweiten Weltkrieges wären immer noch ein »kleineres Übel« im Vergleich zur Zerstörung allen Lebens auf Generationen hinaus; und geschähe dies nur auf einem Kontinent. Dies alles sind makabre Überlegungen, aber der Krieg wird nicht dadurch aus der Welt geschafft, daß man nicht über ihn spricht. Es wäre also ein »Fortschritt«, gelänge es, aus einem nächsten Krieg, wenn er dann schon stattfinden sollte, die Atomwaffen zu verbannen.

Mit dieser Feststellung ist noch kein Weg gewiesen, wie dies geschehen könnte. Bloße Vereinbarungen sind ohne externe oder interne Zwänge nicht sonderlich verläßlich. Man kann wohl davon ausgehen, daß der Verzicht auf Giftgas im Zweiten Weltkrieg seine Ursache nicht allein im Verbot seiner Anwendung hat, sondern mindestens ebenso sehr auf einem Nutzen-Schaden-Kalkül beruhte. Man hat sich in anderen Fragen auch nicht korrekt an das Völkerrecht gehalten. Ich lasse jetzt auch die Frage beiseite, mit welchen anderen schlimmen Waffen wir konfrontiert wären, wenn der Einsatz des nuklearen Potentials wegfiele.

Unsere Lage ist aber wohl komplizierter, als daß wir die einfache Rechnung aufmachen könnten: Der nukleare Krieg ist schlimmer als der konventionelle, also müssen wir auf jeden Fall dafür sorgen, daß wenigstens ersterer nicht stattfindet. Diese Rechnung könnte nur aufgehen, wenn die Frage, ob mit einem konventionellen Krieg zu rechnen ist oder nicht, in keinem Zusammenhang stünde mit der

Frage, ob es nukleare Rüstung gibt oder nicht. Ein solcher Zusammenhang bestünde aber, wenn die nukleare Abschreckung so funktionierte, daß sie nicht nur den nuklearen, sondern auch den konventionellen Krieg verhindert. Dann würde ein Wegfall der nuklearen Abschreckung die Wahrscheinlichkeit eines nichtnuklearen Krieges erhöhen. Damit ist das große Dilemma, in dem wir uns befinden, skizziert. Wenn wir sicher wären, daß die atomare Abschreckung in der beschriebenen Weise funktioniert, dann müßten wir für die Aufrechterhaltung dieses Abschreckungspotentials eintreten. Die Kriegsgeschichte hätte dann an den Punkt geführt, an dem die Kriegstechnologie selbst den Krieg ad absurdum führen würde. Wahrscheinlich sind wir noch nicht so weit; aber ist es so abwegig, auf solche Entwicklungen mehr Hoffnung zu setzen als darauf, daß der Mensch als Gattung sich plötzlich grundlegend ändert?

Nun gibt es diese beruhigende Sicherheit hinsichtlich des Funktionierens der Abschreckung sicherlich nicht in der Weise, daß man auf Dauer darauf setzen könnte. Für die gegenwärtige Phase, deren Länge niemand voraussagen kann, spricht einiges dafür, daß die nukleare Abschreckung hier in Europa die Schwelle der Wahrscheinlichkeit eines Krieges überhaupt heraufsetzt. Hier geht es zunächst nur um Charakterisierungen der Lage. Auf mögliche Folgerungen aus ihr kommen wir an anderer Stelle zu sprechen.

Furcht und Mißtrauen

Zu einer rationalen Analyse internationaler Politik gehört es, daß man immer wieder versucht, einen Konflikt auch aus der Lage und Rolle des anderen zu begreifen. Das gilt auch dann, wenn man in diesem Konflikt Partei ist. Es gibt Anhänger von Friedensbewegungen, die den Ost-West-Konflikt ausschließlich aus der Brille der Sowjetunion oder der Kommunisten betrachten. Es gibt andere, die sich jenseits des Konflikts ansiedeln möchten und aufgehört haben, für den Westen Partei zu ergreifen. Bei den meisten von ihnen scheint inzwischen das Mißtrauen gegenüber dem Westen, insbesondere seiner Führungsmacht USA, größer als gegenüber der Sowjetunion. Ein Teil des Mißtrauens, das den Friedensbewegungen entgegengebracht wird, dürfte seine Ursache darin haben, daß diese beiden Gruppen stark in ihnen vertreten sind.

Es gibt aber auch eine gedankenlose Parteinahme, die sich dagegen sträubt, den Sinn eines Schachzuges des Gegners auch mit dessen Augen zu begreifen. Der ansonsten nur sehr bedingt sinnvolle Vergleich mit dem Schachspiel soll darauf hinweisen, daß dies keineswegs nur eine Frage des humanen Verstehens, sondern eine der rationalen und erfolgreichen Verteidigungsbemühungen, also auch eine Frage von Strategie und Taktik ist.

Natürlich fällt es einem, der sich keiner aggressiven Absicht bewußt ist, schwer, einzusehen, daß der andere sich vor ihm fürchtet. In Rußland hat die Furcht vor der Einkreisung und vor Machtkonzentrationen an den Grenzen eine Tradition, die weit hinter das kommunistische Regime zurückreicht. Und schließlich sind wir Deutsche in diesem Jahrhundert schon einmal tief in das Land eingedrungen. Im übrigen ist die Furcht nicht selten eine Folge eigener Taten. Wer einem anderen etwas weggenommen hat, der lebt in der Furcht, der andere könnte sich sein Eigentum zurückholen oder wenigstens in irgendeiner Weise Vergeltung üben. Und wenn ein Staat wie die Sowjetunion nach einem mit Hilfe seiner heutigen Gegner gewonnen Krieg dazu nutzt, nicht nur seine Einflußsphäre auszudehnen, sondern sich ganze Völker zu unterjochen, dann wird er sich immer wieder vor Störung, Verfall oder Zerstörung seiner Macht fürchten. Die Furcht verdoppelt sich, wenn man den Völkern um sich herum nicht nur die äußere Freiheit, also die Souveränität der Staaten nimmt, sondern auch die innere, indem man den Menschen sein eigenes Regime aufzwingt und sie daran hindert, frei zu leben. Der Sicherheitsgürtel, den man um sich gelegt hat, bleibt dann immer unverläßlich, man kann ihn nur mit militärischer Macht sichern. Wenn wir also von der Furcht der Sowjetunion vor dem Westen sprechen, dann haben wir deren Furcht vor den osteuropäischen Staaten in ihrem Machtbereich immer mitzudenken.

Wenn man wie die Sowjetunion der Welt immer wieder vorführt, daß man die nach dem Zweiten Weltkrieg gewonnene Einflußsphäre nicht nur sichern und ausbauen, sondern nach Möglichkeit ausweiten will, dann produziert man seinerseits Furcht bei den anderen. Militärische Stützpunkte, welche von der anderen Weltmacht aus ihrer eigenen Furcht in der Welt errichtet werden, empfindet man selbst wieder als Bedrohung. Schließlich rundet die Einkreisungsfurcht sich ab, wenn sich an der asiatischen Grenze eine Großmacht aus dem eigenen sozialistischen Lager zum Rivalen entwickelt und der Sowjetunion auch die ideologische Führung streitig macht.

Es ist eben nicht so, daß unter der gemeinsamen Angst vor dem nuklearen Krieg die Befürchtungen und das Mißtrauen, die man gegeneinander hat, einfach wegschrumpfen. Beides ist nach wie vor auf beiden Seiten da: die gemeinsame Angst vor der Vernichtung und die Furcht voreinander. Auch wir haben ein Recht auf Furcht vor dem Kommunismus. Man kann doch nicht behaupten, das Verhalten der Sowjetunion beweise, daß diese Furcht völlig unbegründet, nur eingebildet oder nur ein Herrschaftsmittel der westlichen Regierungen sei. Wenn man voreinander Furcht hat, ist man auch mißtrauisch gegeneinander. Die Angst vor dem nuklearen Krieg treibt die Kontrahenten immer wieder in Verhandlungen. Jeder geht in diese Verhandlungen mit der Maxime, keine Vorteile aufzugeben und sich keine neuen Nachteile einzuhandeln. Das gibt den Verhandlungen auf weite Strecken den Charakter von »Scheinverhandlungen«. Auch sie können eine sinnvolle Funktion haben; es ist besser, »scheinheilig« miteinander zu sprechen, als aufeinander zu schießen. Solche Rede klingt zynisch in den Ohren von Leuten, die sich angewöhnt haben, die Welt überhaupt nur noch unter moralischen Gesichtspunkten zu analysieren. Das ist weltfremd und dient im Grunde nur dem Reinheitsbedürfnis des eigenen Herzens.

Ich nehme nichts zurück von der Feststellung, daß die Sowjetunion begreiflicherweise Furcht vor dem Westen hat, wenn ich zugleich behaupte, daß eben diese Furcht auch wieder zum Spielmaterial in der geistigen Auseinandersetzung wird. Unser Leben besteht eben nicht nur aus »entweder-oder«, sondern zu viel größeren Teilen aus »sowohl-als-auch«. Zur Analyse unserer Lage gehört nun einmal die Einsicht, daß unter den Bedingungen der Massenkommunikation politische Auseinandersetzungen in einem hohen Maße über die Versuche geistiger und emotionaler Beeinflussung laufen. Wenn man von Automatismen, Mechanismen und »Teufelskreisen« spricht, dann muß man auch diesen Kreis sehen: Je weniger wir den Freiheitskonsens und den Zusammenhalt der freiheitlichen Gesellschaften pflegen, um so mehr verweisen wir unsere Regierungen auf militärische Stärke. Wer den Leuten einredet, die Gegensätze zwischen dem Kommunismus und der freiheitlichen Gesellschaft seien mehr oder weniger belanglos, der schläfert die Menschen ein. Tut er dies im guten Glauben, damit Konflikte zu entschärfen und Spannungen zu reduzieren, dann befindet er sich meiner Meinung nach zumindest solange im Irrtum, als die westlichen Regierungen und die sie tragenden Mehrheiten von der Wichtigkeit der Gegensätze überzeugt sind. Und je weniger diese Mehrheiten und Regierungen sich auf die geistige Integrität ihrer Gesellschaften verlassen können, desto mehr setzen sie auf andere Machtmittel. Es spricht einiges dafür, daß die Lage stabiler wäre, wenn das kommunistische Lager nicht immer wieder damit rechnen könnte, den Westen durch Infiltration, Propaganda über Dritte (also Nichtkommunisten) und

57

durch ständige Desinformation zu schwächen. (Um auch sogleich wieder die Situation des Gegners in den Blick zu holen, sei eingeräumt, daß dieser ähnliche Sorgen hat. Entspannungsschritte, Helsinki, unsere Abkommen mit der DDR usf. erweisen sich auch für den kommunistischen Block als Faktoren von Destabilisierung.)

Zur Desinformation im Westen gehört nun auch die sich immer mehr verbreitende, einseitig ausgerichtete These von der Furcht der Sowjetunion. Sie bleibt richtig, solange realistisch festgestellt wird, daß es Furcht und Mißtrauen zwischen beiden Lagern gibt. Sie verzerrt unsere Lage, wenn sie nur auf die Furcht der Sowjetunion und nicht auch auf die unsrige hinweist. Völlig falsch wird sie, wenn sie suggeriert, nur das kommunistische Lager hätte Gründe für Furcht und Mißtrauen, der Westen hingegen habe keine. Mir haben schon Jugendliche in Diskussionen erklärt, sie hätten zur Sowjetunion mehr Vertrauen als zu den USA. Da diese jungen Leute von der Geschichte unseres Jahrhunderts keine Ahnung haben, müssen sie das jemandem nachreden. (In einigen dieser Fälle weiß ich auch sehr konkret, aus welchen weitverbreiteten Zeitschriften diese Jugendlichen ihre politische Information ausschließlich beziehen.) Es ist zweitrangig, was die Leute, die die einseitige Furcht-These bei uns verbreiten, tatsächlich selbst glauben. In der Politik ist die Frage »wem nützt es?« nicht nur berechtigt sondern notwendig. Von der Wirkung her ist es auch zweitrangig, ob man sich wissend oder unwissend, absichtlich oder unabsichtlich an der Desinformation beteiligt.

Die »Ausweglosigkeit« der Lage

Die Überschrift dieses Abschnitts klingt pessimistisch. Tatsächlich halte ich die Lage der Menschheit insofern für ausweglos, als kein rascher und sicherer Weg aus ihr herauszuführen scheint. Ich spreche jetzt von der Menschheit, nicht in erster Linie von uns Deutschen. Es ist ja nicht uninteressant, daß es vor allem die Leute sind, die ständig die internationale Solidarität beschwören und auf anderen Gebieten teilweise auch praktizieren, die uns eine nationale Herauslösung aus dem Konflikt empfehlen. Das wäre nur dann mit der internationalen Solidarität vereinbar, wenn eine solche Herauslösung auch den globalen Gesamtkonflikt entschärfen würde.

Ich gehe von der Existenz der Atomwaffen aus und von der Tatsache, daß diese inzwischen in Mengen aufgehäuft sind, die theoretisch eine mehrfache Vernichtung der Menschheit ermöglichen. Diese Tatsache kann man nicht wegjammern. Man verändert sie auch nicht durch Suche oder Benennung von Verursachern und Schuldigen. Es gibt derzeit keine Gründe für die Annahme, die Bedrohung durch die Atomwaffe könnte kurz oder mittelfristig durch deren Beseitigung beendet werden. Selbst wenn wir einmal davon ausgehen, dies könnte etwa in einem halben Jahrhundert erreicht werden, muß die Menschheit während dieser Zeit auf dem schmalen Grat zwischen ihrer Anwendung und Nichtanwendung leben.

Es ist verständlich, daß Menschen gegen eine solche Lage immer wieder emotional aufbegehren. Vielleicht muß man es auch verstehen, daß solches Aufbegehren zu bloß symbolischen Handlungen gerät, die nur kindlichen Trotzreaktionen vergleichbar sind. Glauben denn wirklich Gemeinderäte, die ihre Gemeinde zur »atomwaffenfreien Stadt« erklären, sie würden an der explosiven Lage etwas ändern oder sie könnten ihre Stadt aus einem eventuellen Atomkrieg heraushalten? Glauben Ärzte, die eine Ausbildung für den atomaren Katastrophenschutz verweigern, sie würden damit den Atomkrieg verhindern? Ich kann mir nicht helfen, aber in meinen Augen sind dies wirklich nur symbolische Entscheidungen zur Beruhigung des eigenen Gewissens, die aber zur Bannung der Gefahr, also zur Sicherung des Friedens, real nichts beitragen.

Solange es Atomwaffen auf der Welt gibt, gibt es nur zwei

Möglichkeiten: Sie werden angewandt oder sie werden nicht angewandt. Es gibt keine absolute Gewißheit, daß sie nicht angewandt werden. Wir haben aber ebenfalls keine Gewißheit, daß es zum Atomkrieg kommt. Die uns diese Gewißheit einreden wollen, können keine überzeugenden Beweise für sie beibringen. Der Hinweis, Rüstung habe noch immer zum Krieg geführt, ist eine Banalität ohne Informationswert. Richtig daran ist, daß Staaten, um Kriege führen zu können, immer gerüstet sein mußten. Hätte niemals ein Staat Waffen gehabt, hätte es Kriege, jedenfalls so, wie wir sie kennen, nicht gegeben. Viele Kriege wären mit großer Wahrscheinlichkeit nicht ausgebrochen, hätten die Kriegführenden nicht damit rechnen können oder wenigstens subjektiv damit gerechnet, daß sie den Krieg gewinnen. Mit der abnehmenden Chance, einen Krieg erfolgreich oder zumindest überlebend durchstehen zu können, nimmt die Wahrscheinlichkeit des Krieges ab. Abnehmende Wahrscheinlichkeit ist nicht gleichbedeutend mit Sicherheit, sie besagt nur, daß das Risiko kleiner wird; völlig verschwinden tut es damit nicht.

Lebten wir in der absoluten Gewißheit, daß der Konflikt zwischen den Systemen in einen nuklearen Krieg mündet, dann stünden wir in der Tat vor der Frage, ob nicht die Unterwerfung der totalen Zerstörung vorzuziehen ist. Dann ginge es nur noch um das Überleben, die Möglichkeiten eines guten Lebens müßte man einer ferneren Zukunft überlassen. Unter dem »guten Leben« verstehe ich nicht das mit materiellen Gütern zureichend ausgestattete Leben, sondern in erster Linie ein Leben in Freiheit. Der Begriff vom guten Leben als Zweck der Politik hat bekanntlich eine bis in die antik-griechische politische Theorie zurückgehende Tradition. Solange die Chance besteht, daß die Atomwaffen nicht eingesetzt werden, solange gibt es die Hoffnung, das Überleben und das gute Leben sichern zu können. Und diese Hoffnung wird, so meine ich, für die Politiker zu einer Pflicht.

Frieden gewinnen – Frieden erhalten

Jede Entwicklung in der Menschheitsgeschichte ist mehrdeutig und mehrwertig. Jeder Fortschritt löst nicht nur Probleme, sondern schafft auch welche. Gerade wegen ihrer ungeheuren Zerstörungskraft führt die Kriegstechnologie den Krieg endlich aus sich selbst heraus ad absurdum. Das bleibt nur ein Fortschritt, wenn es der Menschheit gelingt, sich von diesen Zerstörungskräften wieder zu lösen – möglichst ohne den traditionellen Krieg wieder aufleben zu lassen –, oder sie zu bändigen. Es wäre wirklich ein Fortschritt, wenn Kriege dadurch aufhörten, daß sie nicht nur in einem objektiven Sinne, sondern auch subjektiv für alle Beteiligten sinnlos würden.

Mit dem Krieg haben sich auch die Methoden der Friedenssicherung verändert. Früher war der Frieden gewissermaßen das Ziel des Krieges. Die Kriege endeten mit einem »Friedensschluß«. Staaten haben Nachbarn mit Krieg überzogen, weil sie durch deren Macht den Frieden bedroht sahen. Im heutigen Europa geht es unter der nuklearen Abschreckung nicht mehr darum, den Frieden zu gewinnen, sondern nur noch darum, ihn zu erhalten und zu sichern. Insofern war Verteidigungsbereitschaft vielleicht nie glaubwürdiger als heute. Sie wäre noch glaubwürdiger, wenn es eines Tages gelänge, Waffensysteme zu schaffen, die von ihrer Natur her tatsächlich abschreckend defensiv wären. Diese klare Unterscheidung zwischen Offensiv- und Devensivwaffen ist heute (noch) nicht möglich. Wie sehr auch Verteidigung das vornehmste Ziel von Militärpolitik früher gewesen sein mag, der Soldat wurde immer auf beides, auf Angriff und Verteidigung, ausgerichtet. Im Kalkül der Militärpolitik stand immer auch die Möglichkeit, daß man einen »Feldzug« zu unternehmen hat. Der Soldatenberuf ist in unserer Lage mehr denn je als »Wache« zu kennzeichnen. Viele Diskriminierungen, denen der Soldat in unserer Gesellschaft ausgesetzt ist, sind insofern anachronistisch, stammen noch aus einer Zeit, in der man sich noch auf solche Feldzüge rüstete. Noch nie war eigentlich der Soldatenberuf moralisch so wenig zweifelhaft wie heute. Oder wenn man es plakativer sagen will: Noch nie war eine Armee so wenig mit einer Feuerwehr vergleichbar, die man zugleich zur Brandstiftung benutzt.

Diese Bemerkungen sind nicht dogmatisch und so gemeint, als würde ein völlig eindeutiges Phänomen beschrieben. Da mag nach wie vor viel Zwiespältiges dabei sein; es geht um Tendenzen. Wenn wir unsere Gegenwart erkennen und von ihr erfahren wollen, auf welchem Wege sie sich befindet, dann kommen wir ohne geschichtliche Vergleiche nicht aus. Es ist nicht zu leugnen, daß sich das Selbstverständnis des Soldaten geändert hat. Er weiß, daß er etwas lernt, damit das Gelernte nicht angewendet wird. Darin unterscheidet er sich von jedem anderen Beruf.

Der Wille, Frieden zu gewinnen, ist auf Zukunft gerichtet. Nun haben wir in Europa und zwischen der NATO und dem Warschauer Pakt keinen Krieg. Legt man also einen engeren Friedensbegriff zugrunde, dann leben wir selbst zur Zeit im Frieden. Auch die Parole »Frieden schaffen ohne Waffen« ist auf Zukunft gestellt. Man hört aber kaum, daß sich die Friedensbewegungen, die sich dieser Parole bedienen, in erster Linie gegen Kriege in anderen Regionen der Welt wenden. Also muß der Spruch einen weiteren Friedensbegriff meinen. Das kann bedeuten, daß er sich nicht ausschließlich gegen den bewaffneten Austrag der Konflikte richtet, sondern die Konflikte selbst beseitigen will. Dazu kann man eigentlich nur sagen, daß durch Abschaffung der Waffen – wäre sie ohne weiteres möglich – die Konflikte noch nicht aufgelöst wären, daß andererseits die Bewältigung der Konflikte ohne Anwendung von Waffen allgemeines Ziel ist, für das keine Friedensbewegung Originalität beanspruchen kann. Die Parole mag Herzen erwärmen, vor dem prüfenden Verstand erweist sie sich als ziemlich informationsarme Worthülse.

Dies alles spricht nicht gegen Entspannungsschritte, gegen Entschärfung von Konflikten, gegen Kompromisse oder gegen Kooperationen. Es wäre illusorisch und unverantwortlich, wollte man solche Schritte erst nach einer Abschaffung der Waffen tun. Wenn die Friedensbewegungen nicht wollen, daß man an ihren Losungen ähnlich lässig vorübergeht wie an banalen Wahlkampfsprüchen politischer Parteien, dann sollten sie uns schon etwas genauer erklären, was sie eigentlich meinen. Versteht man unter Frieden die Abwesenheit von Krieg, dann besagt die Losung nicht mehr und nicht weniger, als daß es ohne Waffen keinen Krieg gäbe. Meint man aber so etwas wie den »positiven Frieden«, der Verständigung, Gerechtigkeit oder eben »gutes Leben« zum Inhalt hat, dann muß man auch fragen, ob der Antrieb für die Staaten zur Herstellung solcher Harmonisierungen wirklich größer wäre, wenn es keine Waffen gäbe.

Die Losung »Frieden schaffen ohne Waffen« täuscht eine Einigkeit der Friedensbewegungen vor, die es in Wirklichkeit nicht gibt. Da scheint mir viel Unehrlichkeit im Spiel zu sein. Diejenigen Anhänger von Friedensbewegungen, welche die militärische Unterdrückung von Freiheitsbewegungen in den osteuropäischen Staaten durch die Sowjetunion rechtfertigen, die den Einfall der Sowjetunion in Afghanistan billigen, die Verständnis aufbringen für die Aufstellung sowjetischer Mittelstreckenraketen in Europa und sich gegen die amerikanischen Raketen wehren, die für Unterstützung von Befreiungskriegen in der Dritten Welt werben, müßten sich eigentlich redlicherweise von der Gemeinsamkeit dieser Parole distanzieren. Sie müßten zugeben, daß es ihnen – zumindest vorerst – noch gar nicht darum geht, alle Waffen abzuschaffen, sondern um die Frage, wer nach ihrer Auffassung derzeit welche Waffen haben sollte und wer nicht. Wer innerhalb der Friedensbewegungen an der Unterscheidung zwischen gerechten und ungerechten Kriegen festhält, der benützt die radikalen Pazifisten für seine

Zwecke, obwohl er in der Sache nicht mit ihnen übereinstimmt. Distanzieren von der Parole der völligen Waffenlosigkeit müssen sich auch all diejenigen innerhalb der Friedensbewegungen, die das Recht der Verteidigung prinzipiell anerkennen, aber gegenüber der offiziellen NATO-Strategie alternative Verteidigungskonzepte vertreten. Die auf Großkundgebungen vorgetäuschte Einheit der Friedensbewegungen gibt es in Wirklichkeit nicht. Aber die Akteure dieser Bewegungen können sich darauf verlassen, daß es in unseren Massenmedien wenig Leute gibt, die genauer hinsehen und die Unterschiede, Gegensätzlichkeiten und Widersprüche ihren Medienkonsumenten transparent machen.

5. Nukleare Abschreckung als ethisches Problem

Das ethische Dilemma

Die jetzt viel geführte Diskussion über die Frage, ob atomare Abschreckung ethisch oder moralisch erlaubt ist, mutet auf weite Strecken doch recht akademisch an. Es gibt auch ein ethisches Dilemma. Dies entsteht nicht selten im Prozeß der Anwendung ethischer Prinzipien auf das konkrete Verhalten in konkreten Situationen. Dieses Dilemma ist nicht theoretisch dadurch auflösbar, daß der eine eine Prinzipienethik, der andere Situationsethik vertritt. Franz Alt löst das Problem auch auf seine vereinfachende Weise, indem er die Unterscheidung zwischen Gesinnungsethik und Verantwortungsethik schlicht als doppelte Moral kennzeichnet (28). Das eigentliche und uralte Problem liegt meines Erachtens darin, daß ich bei der Anwendung ethischer Prinzipien die für mich voraussehbaren möglichen Folgen eben dieser Anwendung hic et nunc, also zu einem bestimmten Zeitpunkt an einem bestimmten Ort in einer bestimmten sozialen Situation mitzubedenken habe. Ich will das Dilemma zunächst auch in einer vereinfachenden Denkfigur vorführen: Dabei gehe ich von der Tatsache aus, daß es das nukleare Potential auf beiden Seiten gibt. Auch wenn wir die Entscheidung, die zu dieser Tatsache führte, zum jetzigen Zeitpunkt als ethisch unerlaubt identifizieren, ändern wir an der Tatsache selbst nichts. Wir stehen nicht mehr vor der Entscheidung, ob es solche Waffen geben soll oder nicht, sie sind da. Nun können wir sagen, aber zumindest ihr tatsächlicher Einsatz ist ethisch unerlaubt. Nehmen wir an, alle politisch Verantwortlichen im Westen würden sich offen zu diesem Prinzip bekennen; das heißt: sie würden versichern, daß es keine Situation gibt, in der sie diese Waffen anwenden würden. Dann entstünde für die Sowjetunion die Frage, ob sie an diese handlungsbestimmende Ethik des Westens glauben würde oder nicht. Glaubt sie daran, dann sinkt die Abschreckung auf Null. Die Sowjetunion könnte ihr nukleares (und konventionelles) Potential für jede Erpressung einsetzen. Glaubt sie dieser Moral nicht (ich erlaube mir die wieder zynisch ausdeutbare Bemerkung, daß ich mich anstelle der Sowjetunion auf solche Bekenntnisse nicht verlassen würde), dann hat sich an ihrer subjektiven Furcht vor dem Westen nichts geändert.

Ich will mit diesem Beispiel zunächst nicht mehr und nicht weniger sagen als dies: Wir Menschen handeln nie aus einem völligen Anfang heraus. Wir handeln immer in geschichtlichen Situationen, die das Ergebnis von davorliegenden Kombinationen von Verdienst und Schuld sind. Was mit reiner Gesinnungsethik in Absetzung von Verantwortungsethik unter diesem Aspekt sinnvoll gemeint sein kann, das ist das immer wieder beobachtbare Bestreben von Menschen, sich aus dieser Verstrickung lösen zu wollen. Reine Gesinnungsethik, die sich weigert, Handlungsfolgen zu bedenken, ist egozentrisch in dem Sinne, daß sie für sich die verlorene Unschuld wiedergewinnen will. Das ist erstens illusionär und zweitens unchristlich. Vielleicht fällt von daher noch einmal ein Licht auf meine Kritik an Franz Alt, daß er das Christentum auf eine Selbsterlösungsreligion reduziert, in der von Erlösung durch Gott und von Gnade nicht mehr die Rede ist. Wir können uns aber aus den Paradoxien, Widersprüchen und Verstrickungen dieser Welt nicht alleine, auch nicht ausschließlich in der selbst geleisteten Nachfolge Christi befreien. Sinngemäß ist in dem Buch von Franz Alt viel von der Barmherzigkeit des Menschen die Rede – nur nicht von der Barmherzigkeit Gottes.

Es geht mir hier nicht um systematische ethische oder moral-theologische Abhandlungen. Ich suche nach Orientierungsmöglichkeiten für unser eigenes Denken und Verhalten. Wir setzen uns mit unserem Denken und Verhalten nicht nur in Beziehung zu einem ethischen Prinzip, zu einem moralischen Gebot oder Verbot, sondern immer auch zu einer konkreten Situation. Zu dieser Situation gehört auch die Beziehung aller anderen Beteiligten zu ethischen Prinzipien und ihre Einschätzung oder Reaktion auf die Situation. Anders ausgedrückt: Nicht schon durch die Bejahung eines ethischen Prinzips verhalte ich mich moralisch, sondern immer erst in der praktischen Verwirklichung des Prinzips, also immer erst im Handeln selbst und damit in einer konkreten Situation. Ich muß mich also einerseits an der Wahrheit des Prinzips, andererseits an der für mich erkennbaren Wahrheit der Situation orientieren. In welche Lage man dabei kommen kann, zeigt sich, wenn ich einmal folgende Sätze als wahr unterstelle:

– Es ist nicht erlaubt, Atomwaffen anzuwenden.
– Es ist Tatsache, daß beide Kontrahenten Atomwaffen besitzen. Diese Tatsache verändert sich nicht dadurch, daß an ihrem Entstehen Fehlverhalten oder Sündhaftigkeit beteiligt sind.
– Die atomare Abschreckung verhindert sowohl einen nuklearen wie auch einen konventionellen Krieg.

Hätten wir in der Wahrheit dieser drei Behauptungen absolute Gewißheit, dann wäre die Beibehaltung von Atomwaffen nicht verwerflich. Sie wäre unter den gegebenen Umständen sogar geboten, solange wir nicht über andere gleich sichere Methoden der Kriegsverhütung verfügten.

Von meinen drei Sätzen ist der mittlere eine von niemandem bestrittene Tatsachenbehauptung. Beim ersten handelt es sich um eine ethische Wahrheit, die als Prinzip und abstrakt formuliert eindeutig ist, hinsichtlich ihrer praktischen Umsetzung aber Fragen aufwirft, die nicht alle eindeutig zu entscheiden sind. (Vielleicht sollte ich genauer sagen: Ich vermag diese Fragen nicht eindeutig zu beantworten, vielleicht sehen sich andere eher dazu in der Lage.) Bezieht sich die Unerlaubtheit der Anwendung nur auf den tatsächlichen zerstörenden Einsatz der Waffen oder auch auf »Anwendung« im Sinne des Besitzes, – unter der Voraussetzung, daß unsere dritte Behauptung stimmt? Gilt diese ethische Wahrheit absolut bedingungslos, auch wenn ihre Verbindlichkeit nicht von allen Beteiligten anerkannt wird? Es handelt sich hier ja nicht um eine Tatsachenfeststellung, sondern um die Formulierung eines Verbotes, dessen Verwirklichung durch alle mit der Formulierung selbst noch längst nicht garantiert ist. Schwäche ich das Verbot aber dahingehend ab, daß ich sage, der Einsatz dieser Waffen ist unter keinen Umständen erlaubt, aber es kann unter Umständen erlaubt sein, mit ihnen abzuschrecken, dann entsteht ein anderes Problem: Die Abschreckung funktioniert in dem Maße nicht, in dem der Gegner glaubt, daß ich mich an mein ethisches Gebot wirklich halte, die Waffe also unter keinen Umständen zum Einsatz bringe. Wir müßten folglich gewissermaßen unser ethisches Verbot, zu dem wir uns insgeheim verpflichten, öffentlich verleugnen. Eine solche Konstruktion wäre noch halbwegs nachvollziehbar, wenn ich als einzelner einem einzelnen Gegner gegenüberstünde. In der Beziehung zwischen Staaten ist Öffentlichkeit aber nicht exakt teilbar, so daß wir gegenüber den anderen völlig anders reden könnten als in unserer eigenen Öffentlichkeit. Es entsteht also die Frage, ob wir beides, die strikte Verpflichtung auf das Verbot und die Absicht der Abschreckung gleichzeitig und gleich ernsthaft vertreten können. Es kommt hinzu, daß das Denken und Sprechen über die Probleme und ihre Lösungsmöglichkeiten zumindest langfristig gesehen auch unsere Verhaltensdispositionen verändern können. Worin wollen wir also glaubwürdig sein, in unserer ethischen Verpflichtung oder in unserer Abschreckungsabsicht? Sind wir es in der Abschreckung, dann machen wir Abstriche von der ethischen Wahrheit unseres ersten Satzes. Sind wir es in der ethischen Wahrheit, dann nimmt man uns die Abschreckung nicht ab, was nicht leichtzunehmen ist, wenn und insoweit die Wahrheit unseres dritten Satzes zutrifft.

Hinsichtlich dieses dritten Satzes, also in der Funktionsfä-
higkeit der Abschreckung haben wir keine absolute Gewißheit. Wir haben sie aber auch nicht in seinem Gegenteil.
Niemand kann mit Sicherheit behaupten, daß es auch ohne
nukleare Abschreckung zu keinem Krieg kommt. Wir sind
hier in der mißlichen Lage, Wahrscheinlichkeiten oder
Unwahrscheinlichkeiten kalkulieren zu müssen. Wir sind
nicht nur in einem strategisch-taktischen, sondern auch in
einem ethischen Dilemma. Ich sehe nicht, wie uns einfache
und eindeutige Lösungen aus ihm heraushelfen können.

Verteidigung und Drohung

Es wird gesagt, nicht erst der Einsatz von Atomwaffen,
sondern auch die Drohung mit ihnen sei ethisch zu verwerfen. Das ist durchaus nachvollziehbar, wenn man sich eine
Situation vorstellt, in der ein Staat einem anderen mit
Atomwaffen droht, um diesem gegenüber seinen politischen Willen durchzusetzen. So gesehen ist die These von
der Unerlaubtheit der Atomwaffendrohung aber eigentlich
nur ein Spezialfall der Unerlaubtheit eines Angriffskrieges.
Drohung mit militärischer Macht ist nur wirksam, wenn der
Bedrohte annehmen muß, daß der Bedroher seinen Willen
tatsächlich notfalls mittels eines Angriffskrieges durchsetzt.
Wir sind uns aber doch wohl einig darüber, daß ein An-
griffskrieg ethisch zu verwerfen ist, ob er nun konventionell
oder nuklear geführt wird. Das muß auch für den Präventiv-
krieg gelten, also etwa für den Fall, daß ein Staat einen
anderen angreift, weil er sonst mit einem Angriff des letzteren aus einer Situation der Überlegenheit rechnet. Man
wird allerdings auch hier an dem Eingeständnis nicht ganz
vorbeikommen, daß es für Regierungen Lagen geben kann,
in denen sie gar nicht mehr zwischen gut und bös, sondern
nur noch zwischen zwei Übeln entscheiden können.
Ein weiteres Sonderproblem stellt der Bündnisfall dar;
wenn also verbündete Staaten einem angegriffenen Staat zu

Hilfe kommen, indem sie dem Angreifer den Krieg erklären, obwohl sie selbst nicht unmittelbar angegriffen sind. War der Kriegseintritt der Westmächte nach dem Einmarsch Hitlers in Polen ethisch verwerflich?

Das Problem wird wieder komplizierter, wenn man davon ausgeht, daß die nukleare Rüstung ausschließlich den Zweck der Abschreckung hat. Auch in dieser Form ist sie natürlich eine Art Drohung, indem sie dem potentiellen Angreifer sein Risiko vor Augen führen soll. Im Hirtenwort der Deutschen Bischofskonferenz »Gerechtigkeit schafft Frieden« vom 18. April 1983 heißt es: »Es kann kein Zweifel bestehen: Der Einsatz von Atomwaffen oder anderen Massenvernichtungsmitteln zur Zerstörung von Bevölkerungszentren oder anderen vorwiegend zivilen Zielen ist durch nichts zu rechtfertigen. Der Vernichtungskrieg ist niemals ein Ausweg, er ist niemals erlaubt.« Das ist im Grunde aber eine Absage an jede Form von modernem Krieg. Die klare Unterscheidung zwischen zivilen und militärischen Zielen ist nicht mehr möglich. Und es hat nicht viel Sinn, darüber zu streiten, von welcher Zahl von toten Zivilisten an man von Massen sprechen will. Wenn Verteidigungsdrohungen wirksam sein sollen, dann müssen sie entweder mit derselben Art von Waffen, mit denen ein potentieller Gegner ausgestattet ist, oder mit einer anderen Art, in der man dem Gegner überlegen ist, erfolgen. Die Idee der Überlegenheit ist im Prinzip so abwegig nicht, wie mitunter voreilig gemeint wird. Eine für einen potentiellen Gegner deutlich wahrnehmbare Überlegenheit wäre im Gegenteil wahrscheinlich die beste Abschreckung. Sie funktioniert vor allem aus zwei Gründen auf Dauer nicht. Unterlegene Staaten haben entweder durch eigene Rüstung oder durch Bündnisse versucht, die Überlegenheit des anderen einzuholen. Auf dem heutigen Rüstungsniveau der Weltmächte und ihrer Blöcke führt sie lediglich zu einem permanenten Wettrüsten. Also scheint die Idee des Gleichgewichts sinnvoller und auch ausreichend, wenn sie bedeutet, daß jeder den anderen blockiert und militärisch unbeweglich macht. Wie wir sehen, verhindert auch die Idee des Gleichgewichts das Wettrüsten nicht, solange beide Seiten das reale Gleichgewicht unterschiedlich wahrnehmen. Gerade wenn man auf Gleichgewicht fixiert ist, bewegt man sich in der ständigen Furcht, die andere Seite könnte in irgendeiner Hinsicht wieder eine Phase der Überlegenheit erreicht haben.

Zur Wahrheit der Situation gehört auch die Antwort auf die Frage, wie alle Beteiligten die Situation wahrnehmen. So wird mit Recht immer wieder darauf hingewiesen, daß der andere eine Maßnahme als Bedrohung empfinden kann, die der eine ausschließlich als Verteidigungsmaßnahme versteht. Man muß sich dabei aber über folgendes im klaren sein: Alles, was an einer Situation richtig oder wahr ist, kann von rivalisierenden Kräften im politischen Streit auch wieder ausgenützt werden. Wenn also die Sowjetunion feststellt, daß man bei uns versucht, die Lage auch immer wieder möglichst objektiv zu betrachten, also zu erkennen, daß ein Verteidigungsschritt von uns von der Sowjetunion als Bedrohung wahrgenommen werden kann, dann ist es seitens der Sowjetunion nur folgerichtig, eine solche Bedrohung auch bei jeder westlichen Verteidigungsmaßnahme zu behaupten. Allgemeiner gesprochen heißt das: Wer sich in der Politik nicht blauäugig und zu vertrauensselig bewegen will, der muß sehen, daß auch die jeweiligen Interpretationen der Lage zum Instrument der politischen Auseinandersetzung werden. Das gilt natürlich spiegelbildlich für alle an einem Konflikt Beteiligten, insoweit man ihnen nicht Naivität unterstellen kann.

Man wird aber auch objektiv sagen müssen, daß unter heutigen waffentechnologischen Bedingungen Verteidigung nicht ohne Drohung möglich ist. Die Lage der Staaten ist nicht vergleichbar mit einer Ritterburg auf hohem Berg, die aufgrund ihrer geographischen Lage und einigen Abwehrwaffen nicht erstürmbar ist. Auf einer solchen Burg könnte

71

man überzeugend darstellen, daß man keine eigenen Ausfälle beabsichtigt, daß man aber alle Aufgänge zum Berg unter Kontrolle hat und Geschosse besitzt, die jeden Erstürmungsversuch vereiteln. Das wäre eine reine Verteidigungsdrohung. Die heutigen Waffen lassen sich nicht mehr eindeutig in Defensiv- und Offensivwaffen einteilen. Wer die Atombombe besitzt, kann sie über dem Land des Gegners einsetzen. Die Waffe selbst gibt nicht zu erkennen, zu welchen Zwecken sie benützt werden wird.

Verteidigung und Kriegsverhütung

Die Frage der Erlaubtheit von Rüstungsmaßnahmen wird meistens immer noch auf dem Hintergrund einer Vorstellung vom Ernstfall, also von der Realität des Krieges, diskutiert. Das ist von den bisherigen Kriegserfahrungen her gesehen nicht falsch und unter dem Gesichtspunkt eines nach wie vor bestehenden Risikos des Kriegsausbruchs nicht abwegig. Dennoch verzerrt eine so fixierte Diskussion die Intentionen gegenwärtiger Rüstungsmaßnahmen. Auch in dieser Hinsicht hat sich die Lage im Vergleich zu früheren Kriegsmöglichkeiten qualitativ verändert. Es geht aber gar nicht mehr primär darum, sich im Falle eines Angriffs verteidigen zu können. Es geht vielmehr um die Vorsorge, daß es zu einer solchen Situation nicht kommt. Insofern sind klassische Verteidigung und Kriegsverhütung keineswegs dasselbe. Verteidigung hat das erfolgreiche Bestehen eines eventuellen Krieges zum Ziel. Kriegsverhütung hat zum Ziel, eine Situation, in der es um Sieg oder Niederlage geht, von vornherein zu verhindern. Solange es Waffen, aber keine zuverlässigen Vereinbarungen über ihre Anwendung gibt, ist dies nur dadurch möglich, daß man sich einem potentiellen Gegner als verteidigungsfähig darstellt. Auf der Basis moderner Waffentechnologien erschöpft sich solche Verteidigung aber nicht mehr darin, dem Gegner plausibel zu machen, daß er vergeblich gegen die Grenzen des eigenen Landes »anrennen« würde. Vielmehr will nukleare Abschreckung darstellen, daß ein Angriff gleichbedeutend wäre mit der eigenen Vernichtung. Sieht man dies wechselseitig, dann soll nukleare Abschreckung beide zu der Einsicht führen: Es ist sinnlos, daß wir gegeneinander Krieg führen, weil er die Vernichtung von uns beiden zur Folge hätte.

Geht man davon aus, daß jeglicher Atomwaffeneinsatz ethisch unerlaubt ist, dann muß man die Situation so charakterisieren, daß jeder mit einer unmoralischen Handlung droht für den Fall, daß der andere als erster unmoralisch handelt. Solange und insoweit diese Drohkonstellation jeglichen Krieg verhütet, ist sie im Ergebnis moralischer als jede andere mit größerer Kriegswahrscheinlichkeit.

Man kann eine solche Argumentation zynisch oder amoralisch nennen; man kann die Lage selbst als irrational bezeichnen; will man sich nicht nur entrüsten, dann muß man sichere und unter den jetzt gegebenen Bedingungen realisierbare Wege der Kriegsverhütung aufzeigen. Die Politik kann nicht das Beste an sich, sondern immer nur das Beste aus dem machen, was ist.

Moralische Resignation?

Das Leben spielt sich nicht in reinen Symmetrien ab. Eine Handlung wird nicht allein schon dadurch moralisch gut, daß sie das Gegenteil einer moralisch fragwürdigen oder schlechten Handlung ist. Kein vernünftiger Mensch wird behaupten wollen, die nukleare Szenerie, in die die Politik hineingeraten ist oder uns hineingetrieben hat, sei ethisch positiv zu bewerten. Offensichtlich aber haben es die Menschen bis heute mit anderen Methoden nicht geschafft, ihre möglichen kriegerischen Absichten gegenseitig so zu blockieren. Die nukleare Abschreckung bietet hinsichtlich der Kriegsverhütung keine absolute Sicherheit. Gäbe es diese absolute Gewißheit, dann wäre die nukleare Abschreckung zwar ungeheuer aufwendig, aber moralisch einwandfrei, weil sie zum ersten Male in der Geschichte der Menschheit den Krieg unmöglich machen würde. Es gibt aber für uns Menschen in dieser Welt überhaupt keine Zukunftsgewißheit. Weil also ein Risiko bleibt, ist es die unabdingbare Pflicht einer jeden ethisch orientierten Politik, alles zu tun, damit die Menschheit aus dieser Risikosituation wieder herauskommt. Schritte auf diesem Weg sind aber nicht moralischer als die nukleare Rüstung, wenn sie das Kriegsrisiko wieder erhöhen. Wer also solche Schritte wie etwa einseitige Abrüstungsmaßnahmen empfiehlt, der muß plausibel machen, daß das Kriegsrisiko auf keinen Fall größer wird als unter der atomaren Abschreckung.

Ich vertrete nicht eine Position, die alles treiben läßt. Eine unserer wichtigsten und permanenten Fragen an die Politiker in dieser Zeit muß sich auf deren Anstrengungen für eine kontrollierte Abrüstung richten. Und die Politiker müssen uns gegenüber offener werden. Wir werden gerade in diesen Dingen zu häufig und zu viel mit allgemeinen Floskeln abgespeist. Man muß uns sagen, was man unternimmt, und muß uns die Schwierigkeiten ehrlich erklären. Meinem Eindruck nach trägt die Politik zu wenig zur Entemotionalisierung der Diskussion bei. Das ist ein allgemeines Problem, das sich natürlich in solchen Lebensfragen besonders aufdrängt. Es wird zu plakativ für die jeweilige Politik geworben, sie wird nicht konkret erklärt. Einer der Gründe für zu wenig rationale Kommunikation zwischen den Repräsentanten und Repräsentierten dürfte darin liegen, daß wir zu wenig Politiker haben, die sich vom Wahlkampfstil lösen können. Sie messen ihre Auftritte daran, ob sie gegenüber der gegnerischen Partei Punkte gesammelt haben, anstatt sich immer wieder zu fragen, ob sie dem Bürger etwas plausibler machen konnten. So findet dann eine wirklich rationale Diskussion selten statt; die Nation kann sich in Akklamations- und Protestchöre aufteilen.

Wahrscheinlich fragen wir Bürger auch zu wenig. Ruft einer, wir müßten uns vor den Kommunisten schützen, sind die einen zufrieden, – behauptet ein anderer die Durchführung des NATO-Doppelbeschlusses sei Kriegsvorbereitung, sind es die anderen.

Auch und gerade wenn wir das Verhalten der Politiker mit Hilfe moralischer Kriterien beurteilen wollen, genügt es nicht, der Beteuerung edler Ziele zu glauben. Wir sind alle für den Frieden, insofern alle an einem ethisch hochstehenden Ziel orientiert. Das ist nicht der Streitpunkt. Meinungsverschiedenheiten haben wir in der Frage, mit welchen Methoden der Frieden am besten gesichert wird. Das Nachdenken darüber ist eine moralische Verpflichtung, wenn man das Friedensethos ernst nimmt. Publizisten, die uns wie Franz Alt einreden wollen, wir müßten unsere Gefühle sensibilisieren und uns im Herzen verändern, reden am eigentlichen Problem vorbei. Es geht ja gar nicht darum, daß man uns erst die Liebe zum Frieden beibringen muß. Es geht um das angestrengte Nachdenken darüber, wie der Friede am aussichtsreichsten zu erhalten ist. Hierin wird es vermutlich nie eine volle Übereinstimmung geben, weil es keine vollkommenen Gewißheiten gibt. Aber die rationale Diskussion und Auseinandersetzung darüber ist ethische Verpflichtung. Wer nur erhabenen Parolen nachläuft, pflegt eine Scheinmoral. Meiner Meinung nach tragen große Teile der Friedensbewegungen pharisäerhafte Züge. Es gibt da zu viele Leute, die sich uns als die einzig Gerechten und Erleuchteten darstellen. Man ist gegen sie, wenn man nicht für sie ist. Fanatisierte Missionare haben aber in der Menschheitsgeschichte noch nie wirklich Frieden gestiftet.

Es gibt eine moralische Resignation oder eine resignative Moral, die etwas mit Weisheit zu tun hat. Ich meine die Einsicht, daß wir Menschen alle fehlbar sind, und daß es in der ganzen bisherigen Menschheitsgeschichte keine Anhaltspunkte für die Hoffnung gibt, dies würde sich insgesamt radikal ändern. Es gibt doch überhaupt keinen Grund für die Annahme, der Menschheitsfrieden sei dadurch erreichbar, daß alle Menschen sich in ihrem Herzen bekehren und friedfertig werden. Auch der innerstaatliche Frieden ist nicht durch die Bekehrung der Herzen entstanden, sondern durch herrschaftliche Sicherung, indem der, der den innerstaatlichen Frieden bricht, mit Bestrafung zu rechnen hat. Eine Weltregierung, die diese Funktion ausüben könnte, gibt es vorderhand und auf längere Sicht nicht. Also können es zumindest vorderhand nur Machtkonstellationen sein, welche die Kriegsmöglichkeit fördern oder bremsen. Solange diese These nicht widerlegt ist, muß es als moralisch gerechtfertigt angesehen werden, an der Herstellung von Machtkonstellationen mit der Chance der Kriegsverhütung zu arbeiten.

Manche meinen, die Entscheidung für die Gewaltlosigkeit sei dazu eine klare Alternative. Auch Franz Alt suggeriert uns unter Berufung auf die Bergpredigt die Gewaltlosigkeit als Lösung des Problems. Zugleich aber distanziert er sich dann doch auch wieder vom Friedhofsfrieden der Unterdrückung. Ich bin in der Tat der Meinung, daß die Politik nicht nur eine moralische Verpflichtung zum Frieden, sondern auch eine solche zum Schutze unserer Freiheit hat. Moralisch resignieren müßte man meines Erachtens, wollte man eine Politik betreiben, die nur unter der Voraussetzung der Bekehrung aller Herzen erfolgreich sein kann. Chancen für eine moralische Politik sehe ich in der Herstellung von freiheitssichernden und kriegsverhütenden Machtstrukturen. Resignativ kann die Beobachtung machen, daß politische Träumereien in unserer Gesellschaft publikumswirksamer sind, als der unbequeme denkerische Umgang mit Realitäten. Um es noch subjektivistischer zu formulieren: Die Beobachtung, welche Faszination das Buch von Franz Alt in Personenkreisen, die von ihrer Ausbildung her eigentlich auch zum Denken befähigt sein sollten, ausübt, ist für mich eine Versuchung zur Resignation. Ich finde es erschreckend, wieviele Leute gerade auch in akademisch ausgebildeten Mittelstandsschichten in politischen Angelegenheiten dem »Fühlen den Vorzug vor dem Denken geben«. Ich bleibe aber bei meiner Meinung, daß das Nachdenken eine moralische Pflicht ist, wenn man ein ethisch begründetes Ziel erkannt hat. Es ist unmoralisch, in der Politik aus dem Gefühl unmittelbar in das Handeln zu springen.

Ich wäre mißverstanden, würde man aus meinen Bemerkungen eine Diffamierung des Gefühls oder überhaupt aller anderen Antriebskräfte im Menschen außer dem Verstand herauslesen. In unserer Zeit scheint es mir aber dringend notwendig, daß wir uns gegenseitig wieder an die Bedeutung unserer Vernunftbegabung erinnern. Dazu gehört die simple Tatsache, daß es der Intellekt ist, der uns von allen anderen Lebewesen unterscheidet. Wenn wir uns als Geschöpf Gottes verstehen, dann gehört es wohl zum Ethos unseres Menschseins, daß wir die uns gegebenen Möglichkeiten nutzen.

Der Preis für unsere Geistbegabung ist der Verlust instinktgeleiteter Verhaltenssicherheit. Wir müssen stets zwischen Handlungsmöglichkeiten auswählen, also entscheiden. Welcher unserer Fähigkeiten soll hierbei die Steuerungsfunktion zukommen, wenn nicht dem Verstand? Solche Binsenwahrheiten in das Bewußtsein zurückzurufen, scheint mir heute dringend notwendig, weil eine der großen Gefahren unserer Zeit die sich ausbreitende Denkmüdigkeit ist. Dafür gibt es Erklärungen. Der ungeheure wissenschaftliche, technische und soziale Wandel, den unsere Gesellschaft in wenigen Jahrhunderten durchgemacht hat, beruht nicht zuletzt auf dem Vordringen und der Dominanz von Rationalität. Nun stehen wir vor der Erkenntnis, daß manche Ergebnisse dieser Entwicklung (manche tun heuchlerisch so, als wären es alle) sich gegen uns richten oder daß wir die in ihnen wirkende Dynamik nicht zu bändigen verstehen.

Dies führt nun, wie immer wieder in der Geschichte, zu

77

einer sich ausbreitenden kulturkritischen Haltung. Sie hat ihre Funktion, weil sie auf Probleme aufmerksam macht, die zu lange übersehen wurden. Sie wird ihre nutzbringende Funktion aber nur haben können, wenn sie hellwach, also denkend bleibt. Zur Zeit gibt sie sich auf weite Strecken schlicht reaktionär, indem sie einfach geschichtliche Entwicklungen rückgängig machen möchte. Diese Gesellschaft kommt mir mitunter vor wie Passagiere auf einem Schiff, das nach langer freier Fahrt in gefährliche Gewässer geraten ist. Nun verfluchen sie alles Bisherige, schwärmen von der Rückkehr und applaudieren denen, die der nach Auswegen suchenden Besatzung in das Steuer und in die Maschinen greifen, – dies alles, ohne von den Meuterern Rechenschaft darüber zu verlangen, wie sie denn nun wirklich aus der Gefahr herausführen wollen. Man kann aber Fehler der Rationalität nicht mit Irrationalität sondern nur wieder auf rationale Weise korrigieren. In meinen Augen ist der vielfach chaotische protestierende Aktionismus unserer Tage unter anderem auch Ausdruck einer großen Müdigkeit. Man will einfach nicht mehr. Unserer Gesellschaft droht nicht nur der physische, sondern auch der geistige Selbstmord, weil wir uns vom bloßen Aufbegehren treiben lassen und die Anstrengung des Denkens und Wollens realistischer Alternativen nicht auf uns nehmen wollen. Und diejenigen, die aus diesem Aufbegehren heraus von einer ganz anderen Welt und einem ganz anderen Menschen reden, haben in den Augen vieler Zeitgenossen den Anschein der höheren Moral, weil sie sich erst gar nicht mühsam mit den realen Amoralitäten dieser Welt herumschlagen. Politik wird nicht dadurch moralischer, daß sie an Problemlösungsmodellen bastelt, deren Realisierungschancen eine radikale Veränderung der Menschen voraussetzen. Eine moralische, gegenüber den Menschen verantwortliche Politik geht davon aus, wie die Menschen im großen und ganzen waren und sind.

Der Tenor des Buches von Franz Alt ist die Herstellung des

Friedens durch die Umkehr der Herzen. Ich halte es für unverantwortlich, solche Illusionen unter die Leute zu bringen, weil nach aller Menschheitserfahrung dann am Ende nur die Desillusionierung und noch größere Resignation stehen können. Seine Berufung auf die Bergpredigt überzeugt mich nicht, weil ich in der Bibel nirgendwo die Utopie von einer Gesellschaft der nur guten Herzen vor Aufhebung unserer Geschichte finde.

6. Frieden durch Gewaltverzicht?

Friedliebende gegen Kriegstreiber?

Streckenweise liest sich das Buch von Franz Alt so, als müsse ein friedliebendes Volk gegen seine Regierung aufstehen, die den Krieg vorbereitet. So meint er es dann allerdings auch wieder nicht: »Wer innerhalb der Friedensbewegung Bonner Politikern Kriegswillen unterstellt, weiß nicht, was er sagt, und schadet dem Frieden.« (91) Wahrscheinlich könnten wir uns darauf einigen, daß wir zumindest mit Blick auf den großen Krieg zwischen den beiden Blöcken zur Zeit überhaupt keinem Politiker, weder in West noch in Ost, einen solchen Kriegswillen zu unterstellen brauchen. Die Problemlage ist viel komplexer. (Wegen der in ihr liegenden Gefahren, möchte man sagen: leider; andererseits dürften gerade in dieser Komplexität im Vergleich zu früheren Ausgangslagen auch kriegshemmende Faktoren enthalten sein.) Diese Lage läßt sich schon eher dadurch charakterisieren, daß zwei global rivalisierende Ordnungen gegeneinander komplizierte Sicherheitssysteme aufgebaut haben, die sie einerseits von der bewaffneten Konfliktlösung abhalten, andererseits als solche eine hoch explosive Konstellation bewirken, von der sie wieder herunterkommen müssen. Franz Alt fällt aber dann doch wie so viele in die Vorstellung von Kriegsmechanismen zurück, als würden wir noch in der klassischen Zeit des Nationalstaates oder gar der Stammesfehden leben. „Du mußt so tun, als hänge der Frieden allein von dir ab. So wie Menschen beschlossen haben, Atombomben zu bauen, können sie auch vereinbaren, sie wieder abzuschaffen." (92) Das klingt wieder so sehr erbaulich, ist aber nichtssagend und in sich widersprüchlich. Politisch verhalte ich mich gerade nicht dadurch, daß ich so tue, als käme es auf mich alleine an. Alt sagt ja selbst, wenn meines Erachtens auch etwas naiv, die Menschen könnten die Abschaffung der Atombombe vereinbaren. Glaubt er denn allen Ernstes, es käme am ehesten zu einer solchen Vereinbarung, wenn jeder von uns so tut, als hinge der Frieden allein von ihm ab? Er schreibt gegen sein eigenes Wissen, wenn er meint, es sei »die wichtigste Friedensarbeit: wenn wir unseren Kindern den Frieden erklären, dann werden sie anderen nie den Krieg erklären.« (93) Als ob die modernen Kriege so entstünden, daß Völker sich gegenseitig den Krieg erklären! Und geht es in der Gegenwart darum, daß wir unsere Regierungen im Westen abhalten müssen, dem Osten den Krieg zu erklären? Mit solchen Sprüchen hellt man unsere derzeitigen Probleme nicht auf sondern vernebelt sie. Man möchte sie eigentlich gar nicht so wichtig nehmen und dagegen schreiben. Man muß es aber tun, weil sie bei zu vielen Leuten zu gut ankommen.

Der Satz, tue so, als hinge ein Ziel allein von Dir ab, wird politisch erst recht falsch, wenn ich ihn von der Ebene des individuellen Verhaltens auf das Verhalten von Staaten verlagere. Es gehört zu den primitivsten Erfordernissen aller Politik, vor jedem Schritt zu überlegen, wie andere Beteiligte und Betroffene auf ihn reagieren können und voraussichtlich reagieren werden. Das ist das genaue Gegenteil von dem so tun, als käme es auf einen alleine an. Und gefährlich kann es werden, wenn ich ohne nähere Prüfung davon ausgehe, der andere werde so reagieren, wie ich es mir wünsche.

Einseitige Abrüstung

Ich schreibe hier keine Abhandlung über sicherheitspolitische Strategien oder über Modelle der Kriegsverhütung. Ich könnte das auch nicht, weil ich in diesen Dingen nicht Experte bin. Was das Expertentum angeht, bewegen Franz

Alt und ich uns wohl in etwa auf dem gleichen Laienniveau. Mir geht es wie ihm um das grundsätzliche Denken über die Probleme. Und sein Denken, das mir für unsere Zeit symptomatisch zu sein scheint, halte ich für falsch. Es gibt eine ganze Reihe von alternativen Modellen zur gegenwärtigen offiziellen Friedenspolitik. Sie alle vermögen mich zur Zeit – in unterschiedlichen Graden – (noch) nicht zu überzeugen. Ich halte aber jede sorgfältige Weiterarbeit an ihnen weg von aller Propaganda für wichtiger als jeden organisierten Aufschrei.

Bemerkenswert an diesen alternativen Konzepten scheint mir, daß sie entweder das Problem der Atombombe nicht unmittelbar berühren oder ihre Weiterexistenz jedenfalls für eine längere Frist voraussetzen. (Eine knappe, aber informative und verständliche Darstellung findet man bei Günther Schmid: »Sicherheitspolitik und Friedensbewegung/Der Konflikt um die ›Nachrüstung‹«; Akademiebeiträge zur Lehrerbildung, Band 11, Olzog Verlag München, 3. Auflage 1983). Ihnen allen liegt, wenn auch in recht unterschiedlichen Varianten, die Idee einer einseitigen Abrüstung zugrunde. Auf diese Grundidee möchte ich noch eingehen.

Prinzipiell gibt es nur zwei Möglichkeiten, zu einer Abrüstung zu kommen. Entweder durch Vereinbarung zwischen denen, die ein Sicherheitsbedürfnis gegeneinander haben, oder durch einseitige Maßnahmen. (Ich lasse hier jetzt das Problem, daß alle Staaten in der Welt Waffen haben, außer acht und beschränke mich auf die Beziehungen zwischen der NATO und dem Warschauer Pakt). Einseitige Abrüstung kann zwei Hauptmotive haben. Das eine ist das Bekenntnis zum absoluten Prinzip der Gewaltlosigkeit auch im Falle der Konfrontation mit Gewalt und ohne Rücksicht auf mögliche Folgen. Aus meinen bisherigen Darlegungen geht hervor, daß ich dieses Prinzip für die Politik ablehne, weil ich der Auffassung bin, daß die Regierungen eine Schutzpflicht für ihre Völker haben. Zu solch rigoroser Gewaltlosigkeit bekennen sich einzelne und Gruppen, in der Politik und in der kontroversen Diskussion über Sicherheits- und Friedensstrategien spielt sie keine Rolle. Franz Alt fordert in seinem Buch zwar ständig zur Gewaltlosigkeit in der Nachfolge Jesu auf, die wenigen konkreten Ratschläge, die er der Politik aber dann gibt, haben damit kaum etwas zu tun.

Ernstzunehmen ist das andere Motiv, das eine Hoffnung ist. Man hofft, daß einseitige Abrüstungsmaßnahmen den Gegner zur Nachahmung anregen. Läßt man einmal die Möglichkeit außer acht, daß dieser eine auf solche Weise entstehende Phase seiner Überlegenheit zu einem Angriff nützt, dann hat er drei Möglichkeiten der Reaktion: a) er rüstet weiter, b) er läßt seine Rüstung auf gegebenem Stand, c) er rüstet ebenfalls ab. Überlegt man sich nun, wie er voraussichtlich reagieren wird, dann tut man gut daran, dies aus der Annahme seiner Interessen heraus zu tun. Vorauszusetzen, daß er das dringende Bedürfnis hat, auf eine nette Geste mit einer netten Geste seinerseits zu antworten, wäre naiv. Diese Interessen lassen sich aber nicht abstrakt ausmachen, sie können von verschiedenen Umständen abhängen.

War der Gegner bis zu diesem Punkt in seinen Augen rüstungsmäßig unterlegen, dann kann sein naheliegendes Interesse in der weiteren Aufrüstung liegen, um wenigstens ein Gleichgewicht zu erreichen. Er braucht dann weniger aufzurüsten, weil der andere ihm ein Stück entgegengekommen ist. Bestand in den Augen des Gegners bisher Gleichgewicht, dann versetzt ihn eine Abrüstungsmaßnahme des anderen in einen Zustand der Überlegenheit. Die Nachahmung dürfte seinem Interesse am entferntesten liegen. Er wird allenfalls auf kostspielige weitere Rüstung verzichten. War er in seiner Sicht schon bisher überlegen, dann kann er sich vielleicht ebenfalls einen Abrüstungsschritt erlauben, wird sich aber kaum veranlaßt sehen, die Überlegenheit ganz aufzugeben. Es gibt also offensichtlich für den einseitig abrüstenden Staat oder Staatenblock keine Gewißheit darin, daß das Ziel eines solchen Schrittes, nämlich eine beiderseitige Abrüstung erreicht wird. Viel wahrscheinlicher ist, daß gefährliche Phasen des Ungleichgewichts entstehen. Irgendwelche Analogieschlüsse aus Beobachtungen im Tierreich, daß etwa ein Schwächerer oder Wehrloser nicht angegriffen wird, sind, wie die Menschheitsgeschichte zur Genüge beweist, nicht zulässig.

Nun sind die eben angestellten Interessenkalkulationen sehr vereinfacht. Sie können zwar durchaus realistisch sein, aber es können auch noch andere Faktoren ins Spiel kommen. So können eventuell ökonomische Gründe die Verhaltensweisen variieren. Man sollte diesen Faktor aber nicht überschätzen. Eine totalitäre Diktatur kann grundsätzlich einen größeren Anteil ihres Sozialprodukts der Versorgung der Bevölkerung zum Zwecke der Rüstung entziehen als eine freiheitliche Demokratie. Insoweit wirklich ökonomischer Druck ein Interesse an Abrüstung bewirkt, liegt die Bereitschaft zu vereinbarten und kontrollierten Abrüstungsmaßnahmen näher als die Reaktion auf eine einseitige nicht kontrollierte Maßnahme des anderen. Jedenfalls dürfte es realistisch sein, dem Gegner als Motiv der Reaktion auf eine einseitige Abrüstung nicht in erster Linie den Nachahmungswillen, sondern die Überlegung, was er aus der neuen Situation in seinem Interesse am besten macht, zu unterstellen.

Eine weitere Argumentation zugunsten einseitiger Abrüstungsmaßnahmen geht von der These aus, daß Sicherheitsmaßnahmen des einen vom anderen als Bedrohung aufgefaßt werden und umgekehrt. Furcht und Mißtrauen sind Triebkräfte für das Wettrüsten. Es kann also jeweils im Interesse des einen liegen, Furcht und Mißtrauen beim anderen abzubauen. Da der andere aus Furcht vor meinen Verteidigungsmaßnahmen ebenfalls rüstet, kann ich ihn vielleicht zur Rüstungsminderung veranlassen, indem ich ihm seine Furcht nehme.

Auch auf diesen Mechanismus ist wenig Verlaß. Einmal hat man eine solche Reaktion nicht nötig, wenn es einem gelingt, große Teile der Bevölkerung durch Propaganda, Desinformation und Infiltration so weit zu bringen, daß sie der Sowjetunion mehr vertrauen als dem eigenen Verbündeten. Es sollte sich niemand darüber hinwegtäuschen, daß einiges von dem, was bei uns zur Zeit geschieht, Bestandteil einer solchen großangelegten Kampagne ist.

Vor allem aber geht dieses Kalkül von der falschen Annahme aus, Mißtrauen und Furcht seien ausschließlich oder primär von Verteidigungsmaßnahmen induziert. Das hebt die These, daß solche Verteidigungsmaßnahmen vom anderen auch als Bedrohungen wahrgenommen werden können, nicht auf. Aber die eigentlichen Gründe des Mißtrauens liegen nicht in der Rüstung, die Mittel zum Zweck ist, sondern in den angenommenen politischen Zielen des anderen. Nicht die Rüstung selbst schon verursacht im Kern das Mißtrauen, sondern die jeweils selbst gegebene Antwort auf die Frage, warum der andere rüstet. Es ist wohl zuzugeben, daß Rüstungsmaßnahmen Mißtrauen und Furcht verstärken können. Dies muß bei Friedensstrategien berücksichtigt werden. Aber diese Induktion ist nicht so autonom, daß man mit Gewißheit Mißtrauen durch Abrüstungsschritte wieder vermindern kann. Wenn einmal Mißtrauen da ist, besteht sogar die Möglichkeit, daß selbst ein einseitiger Abrüstungsschritt mißtrauisch macht. Was hat der andere damit wirklich vor? Will er mich täuschen? Rüstet er an einer Stelle ab, weil er noch schlimmere Waffen im Hinterhalt hat? Ich sage nicht, daß dies auf jeden Fall so sein muß. Aber es kann so sein und darf deshalb von der Politik als Möglichkeit nicht ignoriert werden.

Wir stehen heute angesichts der Schrecken eines modernen Krieges ohnedies in der Versuchung, uns einzureden, die Rüstung sei nicht die Folge eines Konflikts, sondern der Konflikt selbst. Als hätte sich der Konflikt zwischen Totalitarismus und Freiheit in Nichts aufgelöst. Man kann eigentlich die Geschäfte des Gegners kaum besser besorgen, als daß man den Leuten im eigenen Lager weismacht, da wäre ja gar nichts.

Angesichts des Streites um den NATO-Doppelbeschluß ist die Frage aktuell, ob alles, was sich gegen einseitige Abrüstungsmaßnahmen sagen läßt, auch auf den Verzicht von Nachrüstungen anzuwenden ist. Wenn der Gegner durch eine Aufrüstungsmaßnahme sich eine Überlegenheit geschaffen hat, dann ist die Unterlassung des Aufholens in der Tat einem einseitigen Abrüstungsschritt gleichzusetzen. Es gibt um diese Nachrüstung Kontroversen unter Experten, die für uns Laien nicht in allen Teilen nachvollziehbar sind. Beendigung von Waffenexporten und keine Nachrüstung sind die einzigen konkreten Vorschläge, die Franz Alt macht. Interessant dabei ist, daß er plötzlich realistischer wird, nachdem er seine Leser vorher mit absoluten und rigoristischen Forderungen konfrontiert hat. »Der Kampf gegen die Atomwaffen hat nur dann eine Chance, wenn die Friedensbewegung begreift, daß Politik eine Schritt-für-Schritt-Angelegenheit ist.« (93) Als Begründung für den Verzicht auf die Nachrüstung weiß er dann allerdings auch nicht viel mehr als: »Es kommt also alles darauf an, daß einer anfängt aufzuhören.« (94)

Mir scheint wieder eine Verkürzung vorzuliegen, wenn man sich völlig auf den »Kampf gegen die Atomwaffen« fixiert. Es geht um die Sicherung des Friedens, um die Verhütung des Krieges. Da die Atomwaffen nun leider einmal da sind, geht es vorderhand darum, den Frieden unter dieser Bedingung zu sichern. Ob die Nachrüstung erfolgt oder nicht, die Atomwaffen werden so oder so nicht aus der Welt geschafft. Die Frage im Zusammenhang mit der Nachrüstung ist, ob der Krieg durch ihre Verwirklichung oder durch ihre Unterlassung unwahrscheinlicher wird. Ist die Unwahrscheinlichkeit des Krieges durch die Aufstellung der sowjetischen Mittelstreckenraketen gleich geblieben, und nimmt sie nun ab, weil der Westen seinerseits solche Raketen in Europa aufstellen will? Und ist der Westen verpflichtet, stets auf das Mißtrauen der Sowjetunion Rücksicht zu nehmen, ohne selbst auch ein solches Mißtrauen ihr gegenüber haben zu dürfen? Während alle von Entspannung sprachen, während die Konferenz für Sicherheit und Zusammenarbeit in Europa lief, während die Sowjetunion mit der Bundesrepublik und anderen europäischen Ländern das große Röhrengeschäft betrieben hat, wurde von ihr eine Mittelstreckenrakete nach der anderen mit europäischen Zielpunkten aufgestellt. Eine Weltmacht, welche die von ihr umworbenen Kooperationspartner so an der Nase herumführt, darf sich nicht wundern, wenn Politiker bei der Bevölkerung Gehör finden, die eine schärfere Gangart empfehlen.

Der Westen hat den Nachrüstungsbeschluß von 1979 zur Disposition gestellt, indem er seine Realisierung davon abhängig machte, inwieweit die Sowjetunion bereit ist, die von ihr zuerst aufgestellten Mittelstreckenraketen zu reduzieren. Das dürfte ein Novum in der Geschichte des Ost-West-Konfliktes sein. Verfolgt man, mit welchen Ausflüchten die Sowjetunion versucht, sich diesem Angebot zu entziehen, dann kann man ernsthaft zweifeln, sie würde auf eine einseitige und bedingungslose Abrüstungsmaßnahme des Westens friedenssichernd reagieren.

Warum kein Rüstungsstop?

Das nukleare Abschreckungsmodell ist in seinen Grundzügen leicht zu verstehen. Schwer zu verstehen ist der Rüstungswettlauf im Rahmen und unter der Bedingung der nuklearen Abschreckung. Offensichtlich tun sich auch die Politiker schwer, uns diesen Wettlauf zu erklären. Ich vereinfache im folgenden wieder stark, denke aber, daß ein zentrales Problem dabei doch sichtbar wird. Aufgabe der Experten und Politiker wäre es, uns in verständlicher Sprache mitzuteilen, worin die Vereinfachungen liegen.

Geht man von der Annahme aus, jede der beiden atomar

gerüsteten Weltmächte hätte »nur« die Fähigkeit zum ersten Atomschlag, der den Gegner so vernichten würde, daß er zu einer nuklearen Reaktion nicht mehr fähig wäre, dann hätten wir keine gleichgewichtige, stabile Abschreckung. Jeder könnte sich selbst überlegen machen, indem er den ersten Schlag tut. (Es mag hier außermilitärische hemmende Faktoren geben, aber im Prinzip und theoretisch wäre das die Lage.) Gegenseitig blockieren können sich die Weltmächte nur durch die beiderseitige Fähigkeit zum Zweitschlag. Die Abschreckung funktioniert, wenn jeder weiß, ein atomarer Angriff wird vom Gegner so beantwortet, daß auch der Angreifer zu einer Weiterführung des Krieges unfähig wird. Das setzt aber voraus, daß der Erstschlag keine totale Vernichtung bedeutet bzw. daß jeder seine Verwundbarkeit begrenzen kann. Damit kommt aber eine Dynamik in die Abschreckung; sie ist eben nicht statisch. Jeder versucht immer wieder, seine Verwundungsfähigkeit zu verbessern und seine eigene Verwundbarkeit zu mindern. Dadurch wird aus einem zunächst einfachen Kalkül ein immer weniger durchschaubares gestuftes System von tatsächlichen oder subjektiv wahrgenommenen partiellen Gleichgewichten und Ungleichgewichten. Während das einfache Abschreckungsmodell durch Kalkulierbarkeit des Risikos plausibel ist, soll im komplexen realen System gerade die Nichtkalkulierbarkeit des Risikos abschrecken. Das kann funktionieren, muß es aber nicht unter allen Umständen. Jedenfalls scheinen mir nicht zuletzt dadurch die Entscheidungen wieder mehr der subjektiven Wahrnehmung und damit der Möglichkeit des Irrtums ausgesetzt zu sein.

Ein weiterer Faktor der Labilität des Systems ergibt sich aus der Vernichtungskraft der Atomwaffen selbst. Um sich das zu verdeutlichen, kann man den Gedanken der Verhältnismäßigkeit der Mittel zu Hilfe nehmen. Welcher Art soll eine militärische Aktion sein, die mit einem Atomschlag beantwortet wird? Wie hoch wird die Atomschwelle von beiden

Kontrahenten angesetzt? Je höher sie – vom anderen gewußt – liegt, um so möglicher wird ein konventioneller Krieg. Dazwischen schiebt sich noch eine weitere Stufe, wenn prinzipiell ein begrenzter Atomkrieg möglich wird, der wiederum hinsichtlich seiner Eskalation nicht kalkulierbar ist. Es gehört also offensichtlich zur Abschreckung, den Gegner zwischen Gewißheiten und Ungewißheiten in der Schwebe zu halten. Gerade darin kann man aber auch wieder einen Labilisierungsfaktor im Abschreckungsmechanismus sehen.

In dem Maße, in dem der Gegner über die voraussichtlichen Reaktionen im Ungewissen gelassen werden soll, werden die Kriegsverhütungsstrategien aber auch für die eigenen Völker undurchschaubar. Damit stoßen wir auf eine »Schwäche« der freiheitlichen Demokratie. Zur repräsentativen Demokratie gehört, daß die Bürger, die darüber entscheiden, wer regiert, die Politik der Regierenden einigermaßen durchschauen können. Dieses »demokratische Dilemma« kann hier nicht weiter analysiert werden. Es sollte lediglich darauf hingewiesen werden. Unklar bleibt mir allerdings, wieso der Frieden sicherer werden soll, wenn man versucht, durch Massenbewegungen gegen den Doppelbeschluß der NATO dem Gegner zu signalisieren, er brauche auf das in diesem Beschluß enthaltene Verhandlungsangebot gar nicht mit Erfolgsabsichten einzugehen, man werde selbst dafür sorgen, daß die amerikanischen Mittelstreckenraketen nicht aufgestellt werden.

Daß ein Rüstungsstop vernünftig wäre, steht außer Frage. Er muß aber zwischen beiden Seiten vereinbart sein, wenn er das Kriegsrisiko nicht vergrößern soll. Dies ist meines Erachtens das Maß, mit dem alle rüstungspolitischen Entscheidungen zu messen sind. Natürlich ist jeder von uns zur spontanen Zustimmung geneigt, wenn jemand fordert, man solle nicht so viel Geld für Rüstung ausgeben. Aber isolierte, aus dem Problemkomplex herausgerissene Forderungen geben wenig Sinn. Jede einzelne Maßnahme muß daraufhin geprüft werden, ob sie das Risiko eines Krieges vergrößert oder verkleinert. Völlig falsch wäre es, aus der allgemeinen Einsicht, daß es ohne jede Art von Rüstung keinen Krieg gebe, schließen zu wollen, also sei in jeder Lage jede Rüstungsverminderung ein Schritt auf die Unmöglichkeit des Krieges zu.

Nicht zu verwechseln mit Rüstungsstop oder einseitiger Abrüstung sind alternative Verteidigungskonzepte, die auf eine Umrüstung hinauslaufen. Sie werden vermutlich in dem Maße an Bedeutung gewinnen, in dem das Vertrauen in die Sicherheit der gegenwärtigen Abschreckungsmechanismen sinkt. Es geht bei Abschreckungsstrategien ja nicht nur um die Einschätzung möglichen gegnerischen Handelns, sondern auch um die Frage, in welchen Zugzwang man selbst geraten könnte. Wenn der Gegner konventionell überlegen ist, dann liegt im Falle eines konventionellen Angriffs der Zwang zur nuklearen Reaktion näher, als wenn man ihm auch mit konventionellen Waffen standhalten kann. Die konventionelle Überlegenheit des Ostblocks ist unbestritten. Es könnte also die Lage eintreten, daß die USA als Führungsmacht der NATO im Falle eines konventionellen Angriffs auf die Bundesrepublik Deutschland vor der Wahl stehen, entweder sehr früh nuklear zu antworten oder das Gebiet der Bundesrepublik preiszugeben. Will man die Schwelle zum großen Atomkrieg heraufsetzen, dann muß man in Europa auch mit taktischen Atomwaffen oder konventionell abschrecken. Wer also so vehement gegen die Verwirklichung des NATO-Doppelbeschlußes zu Felde zieht, wie dies bei uns teilweise geschieht, der müßte konsequenterweise für eine rasche konventionelle Aufrüstung eintreten, will er sich nicht dem Verdacht aussetzen, das Schicksal unseres Volkes sei ihm gleichgültig. Oder aber er muß glaubhaft machen, daß nicht der geringste Anlaß zu der Sorge besteht, die Sowjetunion könnte irgendwann einmal an der Ausdehnung ihres Herrschaftsbereiches in Europa interessiert sein.

Eine der angekündigten Vereinfachungen liegt darin, daß ich hier einen verbreiteten Sprachgebrauch übernommen habe, indem ich im Zusammenhang mit den Mittelstreckenraketen von taktischen Atomwaffen sprach. Da die etwa 750 auf Europa gerichteten sowjetischen Atomsprengköpfe ganze Länder Westeuropas zerstören können, sind sie im Grunde analog zu den interkontinentalen Systemen, mit denen sich die UdSSR und die USA gegenseitig vernichten können, zu den strategischen Waffen zu rechnen. Am Kern meiner Argumentation ändert das nichts.

Mit der Aufstellung von Mittelstreckenraketen hat die Sowjetunion gewissermaßen eine weitere Abschreckungsebene geschaffen, für die derzeit aber die Gegenseitigkeit fehlt. Nun kann man sagen: Was hätte die Sowjetunion von einem westeuropäischen Gebiet wie etwa der Bundesrepublik Deutschland, wenn sie es vorher zerstört hat. Aber darum geht es gar nicht in erster Linie. Wir stoßen wieder auf eine früher so nicht gegebene Schwierigkeit modernen strategischen Denkens. Sie besteht darin, daß man theoretische Kriegsmöglichkeiten durchdenken muß, um chancenreiche kriegsverhütende Maßnahmen treffen beziehungsweise akzeptieren zu können. Ich versuche die Lage, wie ich sie im Zusammenhang mit dem NATO-Doppelbeschluß sehe, gerafft zu verdeutlichen. Dabei gehe ich von folgenden Annahmen aus, die – soweit ich sehe – zur Zeit kaum bestritten werden:

Erste Annahme: Die interkontinentale Abschreckung zwischen den beiden Weltmächten funktioniert.

Zweite Annahme: Der Warschauer Pakt ist der NATO konventionell so überlegen, daß für die Sowjetunion ein konventioneller Krieg in Europa mit Erfolgschancen führbar wäre.

Dritte Annahme: Die Sowjetunion könnte mit Hilfe der bereits aufgestellten Mittelstreckenwaffen zumindest große Teile Westeuropas zerstören.

Unter diesen drei Bedingungen könnte die Sowjetunion in

Europa einen konventionellen Krieg mit der Drohung, notfalls auch nukleare Mittelstreckenraketen einzusetzen, beginnen. Sie könnte längerfristig aber auch ohne Krieg mit Hilfe dieser Drohkonstellation westeuropäische Staaten ihren politischen Willen aufzwingen, ihr Kriegspotential also für Erpressungen nutzen. Wenn die interkontinentale Abschreckung funktioniert, die beide Weltmächte hinsichtlich des Atomkrieges gegenseitig neutralisiert, geht eine schlichte europäische Rechnung etwa in dem Sinne, daß die USA auf jede Art von Angriff in Europa interkontinental antworten, nicht mehr auf. Ich vermag nicht zu sehen, wie in solcher Lage durch einseitige Abrüstung oder durch einseitigen Rüstungsstop der Krieg unwahrscheinlicher gemacht werden kann.

7. Was können wir tun?

Je verheerender der Krieg in seinen Auswirkungen wurde, um so abstrakter wurde er, was seine Beziehung zum persönlichen Verhalten der Menschen anging. Kriegsentscheidend wurden immer mehr die Technologien und die Verfügbarkeit über Ressourcen, immer weniger die persönliche Tapferkeit der Soldaten. Das heißt nicht, daß es Situationen, in denen solche Tapferkeit gefragt ist, überhaupt nicht mehr gibt. Aber sie sind im Verhältnis zum gesamten Kriegsgeschehen partiell. Und es heißt schon gar nicht, daß der Umgang mit komplizierten technischen Systemen nicht seine spezifischen Fähigkeiten und Tugenden erfordert. Aber diese technischen Systeme schieben sich zwischen die Menschen. Es kämpfen nicht mehr unmittelbar Menschen gegen Menschen. Ich glaube nicht, daß es sinnvoll ist, Vor- und Nachteile im historischen Vergleich aufzurechnen. (Auch hier geht es um Tendenzen, nicht um reine Alternativen, so als wären frühere Kampfsituationen überhaupt nicht mehr möglich.) Wo die Seele beteiligter ist, spielen Gefühlslagen und Haltungen eine größere Rolle; Haß und Fairneß, Achtung oder Verachtung des Gegners. Selbst der Artillerist, der aus der Entfernung eine Stellung oder eine Siedlung beschoß, mußte vielfach beim Vorrücken die Folgen seines Tuns sehen. Der Pilot, erst recht der Bediener einer Rakete wird mit diesen Folgen in der Form einer Nachricht konfrontiert. Der Krieg wird zunehmend »seelenlos«, womit sowohl positive wie negative Äußerungen des unmittelbaren Beteiligtseins gemeint sind.

In gewisser Analogie dazu verändern sich auch die Beziehungen zwischen dem Kriegsgeschehen und den Einstellungen der Bevölkerung. Dies müßte nun allerdings viel differenzierter untersucht werden und ist vermutlich sehr lagebedingt. Mir geht es hier um eine engere und, wie ich meine, sicherere Aussage. Sollte es zum nächsten großen Krieg kommen, dann wird er nicht mangelnde Friedfertigkeit der Menschen in den beteiligten Völkern zu seiner Ursache haben. Und umgekehrt wird Friedfertigkeit der Menschen im Sinne einer individuellen Einstellung und Verhaltensweise von uns allen nicht die Ursache seines Ausbleibens sein. Genau in diesem Punkt liegt meines Erachtens der große Irrtum von Franz Alt und vielen Anhängern der Friedensbewegung. Deshalb können mich auch die meisten heutigen Bemühungen um eine sogenannte Friedenserziehung nicht überzeugen. Da werden völlig unbewiesene Kausalzusammenhänge zwischen dem Verhalten des Menschen in der kleinen Gruppe und der Frage der Entscheidung zwischen Krieg und Frieden behauptet. Ich glaube, man kommt hier wieder einmal mit der Reaktion auf frühere Verhältnisse zu spät. Auch die in manchen kommunistischen Staaten gepflegte militaristische Erziehung dürfte ihren realen Zweck mehr in der generellen Disziplinierung haben – den sie übrigens früher bei uns zumindest auch hatte.

Damit bestreite ich nicht die Notwendigkeit, daß in unseren Bildungseinrichtungen der Frieden zu einem wichtigen Thema gemacht wird. Und zur Sozialerziehung gehört vieles, das mit dem inneren Frieden einer Gesellschaft zu tun hat. Aber man tut weder den Schülern noch der Gesellschaft einen Dienst, wenn man ihnen die Illusion vermittelt, ihr alltägliches Sozialverhalten stünde in einem ursächlichen Zusammenhang mit dem Weltfrieden.

Daraus ist aber nicht zu folgern, daß wir in der Angelegenheit überhaupt nichts tun könnten. Wir können z. B. den Parteien unsere Stimme geben, deren Friedenspolitik uns am ehesten überzeugt. Ich weiß, daß die »Demonstrationsdemokraten« für den Hinweis auf unser Wahlrecht allenfalls ein müdes Lächeln übrig haben. Es ist und bleibt aber nun einmal der zentrale Legitimierungsvorgang in der Demokratie. Demonstrationen haben eine Artikulations-, aber keine Legitimationsfunktion. Aber selbstverständlich können wir unsere Auffassungen und unseren Willen auch in Demonstrationen ausdrücken. Wir können uns an der öffentlichen und nichtöffentlichen Diskussion über die Probleme beteiligen. Wir können versuchen, andere zu beeinflussen und für unsere Auffassung zu werben.

Aber wenn wir gegen unsere Regierungen für den Frieden demonstrieren und so tun, als befänden wir Friedfertige uns im Kampf gegen die Unfriedfertigen, dann lügen wir. Es gibt bei uns keinen Streit zwischen denen, die Frieden, und solchen, die Krieg wollen.

Kriegsverhütung ist in unserer heutigen Weltlage eine Sache des Verstandes. Der kann sich irren. Wer aber in so schwierigen und komplizierten Fragen dem Gefühl die präzisere Erkenntnisfähigkeit zuschreiben will, der gleicht einem jungen Menschen, der glaubt, die Liebe zu einem angestrebten Beruf ersetze ihm die Ausbildung. Das Gefühl für den Frieden kann sehr stark sein; es hat aus sich heraus aber nicht die geringste Fähigkeit für die Erkundung von Wegen und Methoden, die den Frieden sicherer machen. Die Sensibilität für die Friedensfrage kann und sollte dazu motivieren, sich mit den Problemen gedanklich und rational diskutierend zu befassen.

Viele fahren zu einer Demonstration gegen eine Verteidigungsmaßnahme der Regierung, ohne zu wissen, um was es konkret überhaupt geht. Hauptsache, man demonstriert für den Frieden. Gegen die zweifelnde Überlegung, ob die Realisierung oder die Unterlassung dieser Maßnahme den Krieg wahrscheinlicher macht, hat man sich von vornherein immunisiert. Friedfertigkeit als Gesinnung garantiert den Frieden überhaupt noch nicht. Man kann in bester Friedensgesinnung politisch das Falsche tun, also den Frieden gefährden. Ich bin entfernt von der Meinung, alle die nachdenken, müßten zu denselben Ergebnissen kommen wie die derzeitige offizielle Politik. Ich wende mich gegen die sich zunehmend ausbreitende und von Franz Alt mit seiner Schrift geförderte These, der Weltfrieden sei in erster Linie oder gar ausschließlich ein Problem unserer Herzensgesinnung. Und ich wende mich gegen die schwer zu ertragende arrogante Selbstgewißheit und Selbstgerechtigkeit vieler Führer und Anhänger der Friedensbewegungen. Noch ist nämlich nicht entschieden, wen von uns jetzt Lebenden und Handelnden die übernächste Generation verfluchen wird.